NARRATORI MODERNI

Della stessa autrice in edizione Garzanti:
Non volare via

SARA RATTARO

NIENTE È COME TE

Garzanti

Prima edizione: settembre 2014

Per essere informato sulle novità del Gruppo editoriale Mauri Spagnol visita:
www.illibraio.it

ISBN 978-88-11-68716-0

Printed in Italy

www.garzantilibri.it

NIENTE È COME TE

Alle figlie di chi sta lottando per dimostrare
com'è fatto il sorriso di un papà

Ci sono quelli che sanno sempre come fare, quelli che l'amore te lo descrivono nei minimi dettagli e per questo hanno smesso di cercarlo, gli sputasentenze e i campioni di moralità, i ladri di emozioni e chi sa come si violenta un sentimento.

Poi ci sono le persone che sanno darti tutto, o almeno così ti fanno credere, finché un giorno quel tutto se lo portano via e tu ti accorgi che ti hanno sottratto molto di più, anche quello che ti apparteneva: il tuo inviolabile diritto di essere padre.

Poi però ci siamo noi che di tempo insieme ne abbiamo trascorso poco, che i ricordi li possiamo solo immaginare, e l'idea di rivederci ci spaventa a morte. Ma siamo tu e io, Margherita e Francesco, a respirare gli stessi dubbi.

Mi chiedo se mi assomigli un po', e in cosa. Se anche tu ti mordi le labbra quando pensi, se hai il vizio di giocare con il telecomando quando guardi la TV e detesti il minestrone a pezzi grossi. Non so se quei pochi pregi che ho te li ho regalati o se passerai la vita a combattere la mia pigrizia, se anche tu come me a volte non desidereresti null'altro che un nostro abbraccio o se neanche ti ricordi la mia faccia, se ti chiedi il perché di tanto affanno da parte mia per vederti anche solo un minuto o se rappresento solo una scocciatura tra la scuola e i giochi. Non lo so, e brancolare nel buio non è mai una bella sensazione. Ma di una cosa sono convinto: sarà grazie a ognuno di questi singoli minuti che un giorno capirai che niente, ma proprio niente, è come te, Margherita.

Quando l'aereo ha toccato terra è stato come ricevere una frustata su una ferita aperta.

L'uomo seduto accanto a me sembrava tranquillo. Mi ha fatto qualche domanda appena siamo saliti, ma poi ha desistito e si è voltato a fissare il vuoto. Credo di essermi addormentata.

La notte precedente non avevo chiuso occhio. Continuavo a pensare al maglione che mamma mi aveva prestato. Il suo preferito. Era morbidissimo e teneva caldo. Un giorno le avevo chiesto di metterlo per una festa a scuola, ma quando, qualche tempo dopo, me lo aveva richiesto indietro, io non ero riuscita a ricordare dove lo avessi lasciato. Si era infuriata e aveva iniziato ad alzare la voce, a diventare tutta rossa.

«Non dirmi che l'hai dimenticato a scuola!» E poi un sacco di altre frasi che però non riuscivo più a ricordare.

Così ieri notte mi sono alzata dal letto e ho aperto l'armadio. Il maglione era lì. Ingrid l'aveva piegato con cura e messo via. L'ho afferrato e sono andata in sala dove la mia baby-sitter dormiva quando c'era qualche emergenza per cui mamma non poteva stare a casa con me.

«Ingrid, svegliati!»

«Cosa succede?»

«Voglio che mamma metta questo per il funerale, così saprà che non l'ho perso.»

11

«O tesoro! Lei preferirebbe che lo tenessi tu, non credi?»

Io ho annuito. Mi ha fatto posto vicino a lei, e stringendo il profumo di mamma ho preso sonno.

«Margherita, dobbiamo scendere.»

Scendere? Improvvisamente non sapevo più dove fossi e nemmeno chi era quell'uomo che mi stava chiamando. Lui ha allungato una mano sul mio braccio. Non mi deve toccare. Non voglio che mi tocchi. E mi sono sentita rabbrividire.

«Non voglio scendere!» Mi afferravo al sedile e alla cintura ancora allacciata.

«Margherita, siamo arrivati a casa, dobbiamo andare.»

«Questa non è casa mia. Io voglio tornare a Viborg!»

L'uomo che mi parlava sembrava aver perso la calma. Si era alzato di scatto, aveva buttato la borsa sul sedile e mi guardava dall'alto mentre gli altri passeggeri gli passavano alle spalle.

Siamo rimasti a fissarci negli occhi per un breve istante. Era nervoso, e tutto rosso in volto. Apriva la bocca per poi richiuderla senza dire nulla, si passava la mano sugli occhi, tra i capelli.

Poco dopo ha spostato la borsa per terra e si è seduto accanto a me. Forse più calmo.

«Margherita, ascoltami, è importante. Siamo arrivati in Italia, a casa. Questo è il posto in cui vivremo insieme.»

Mi sono voltata di scatto e ho iniziato a strillare: «No, no, no... io non voglio venire con te!». E mentre il suo volto si faceva sempre più pallido, ho visto avvicinarsi una hostess.

«Va tutto bene, signore? Dovete lasciare l'aereo. Stanno per salire gli addetti alle pulizie.»

«Certo che va tutto bene!» ha gridato lui senza nemmeno guardarla.

«Non voglio scendere. Io devo tornare da Ingrid!» ho urlato.

«Signore, questa ragazza è sua figlia?»

«Certo che è mia figlia!» ha urlato. «Perché me lo chiede?»

La donna ha fatto qualche passo in avanti fissandomi spaventata. «Come si chiama?» ha chiesto.

«Margherita. Si chiama Margherita ed è mia figlia!»

I suoi occhi passavano da me a lui come se guardasse una partita di tennis. Sembrava in cerca di qualcosa. Forse una somiglianza.

«Margherita?» mi ha chiamata. «Questo signore è tuo padre?»

Ho alzato gli occhi verso di lei e sono scoppiata in lacrime.

«Io voglio la mamma.»

L'uomo si è portato le mani alla testa e si è accasciato sul sedile come se gli avessero sparato.

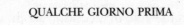

QUALCHE GIORNO PRIMA

Nessuno è solo buono o solo cattivo. Nessuno fa solo cose giuste o solo cose sbagliate. Siamo luce e ombra insieme. Possiamo essere dolci e affettuosi o tradire e abbandonare. Possiamo essere aggressivi e violenti o capaci di tendere una mano se qualcuno ce lo chiede. Siamo così, semplicemente imperfetti.

Le sorprese non mi sono mai piaciute. Non le ho mai amate, neanche prima di diventare un padre a metà, prima di quel giorno che sembra non arrivare mai al tramonto, prima delle sentenze del tribunale, delle accuse e di questa ricerca senza fine. Preferisco sapere sempre cosa sta per accadere, per illudermi almeno di potermi preparare, perché c'è una cosa che ho imparato da tutta questa storia: esiste una forma di dolore che rischia di non vedere mai la fine. È una fessura, una lacerazione o, meglio ancora, una ferita che nasconde fra i suoi lembi strappati tutti i tuoi compleanni senza di me, i lunghi viaggi della mia fantasia nei quali tornavi sempre qui dove sei nata e tutti i giorni in cui ho atteso una risposta che non è mai arrivata.

Ma quella sera è stato diverso.

«Angelika è morta.» L'inglese da nordica di Ingrid l'avrei riconosciuto tra mille. Era la tata che si occupava della vostra casa e soprattutto di te... «Deve venire a prendere Margherita prima che sia tardi...»

15

Le ho chiesto di ripetere quella frase almeno tre volte per paura che fosse un sogno o, peggio ancora, uno scherzo. Non era certo questo che desideravo per te.

Sono corso in camera: «Margherita torna a casa!».

Quando si vive una situazione estrema come la mia, sono poche le parole che continuano a mantenere il loro significato, tutte le altre hanno da tempo lasciato spazio al silenzio.

«Cosa?» Enrica si è alzata dal letto tenendo le mani davanti alla bocca.

«Margherita torna a casa! Sua madre è...»

Poi senza lasciarmi finire mi ha abbracciato e lì, tra i suoi capelli, l'angoscia di dieci lunghi e disperati anni si è sciolta in lacrime mentre singhiozzavo senza tregua. Era curioso: piangevo per Angelika e per te, come se il dolore per la sua morte e la gioia di poterti, finalmente, rivedere fossero inscindibili. Non sapevo in quali condizioni ti avrei trovata, ma la cosa più importante è che tu saresti tornata da me. Qui in Italia.

La gioia è un'emozione che deriva dall'appagamento dei nostri bisogni. Il suo opposto si chiama dolore, quello stato d'animo che mai vorremmo provare. Ma la gioia e il dolore sono incredibilmente attratti l'una dall'altro. È l'attrazione delle cose opposte, incredibili e irreali.

Tua madre era morta. Il rapporto della polizia danese riferiva che alle ore 20.40 del 1° luglio 2013 aveva perso il controllo dell'auto lungo la statale 52 mentre rientrava dal lavoro. Pioveva e il terreno era scivoloso, perché in quel paese piove spesso. Le ruote avevano slittato fino al ciglio della carreggiata. Mentre Angelika cercava di tenere dritto il volante, la macchina aveva iniziato a girare su sé stessa e il parafango destro aveva sfondato il guardrail, facendola precipitare da una scarpata. L'airbag aveva fatto il possibile per salvarla, ma non era bastato. L'auto era irriconoscibile. E anche lei.

Ho cercato un volo su Internet e il giorno dopo ero da te. Impaurito e impreparato.

Ingrid mi aveva telefonato la sera prima. Era l'unica persona che in tutti questi anni si fosse degnata di mandarmi tue notizie, rigorosamente di nascosto. Mi scriveva e rispondeva alle mie e-mail, era lei l'unico contatto con te e anche quando la legge mi odiava a morte, lei sembrava comprendere.

Appena mi ha accolto nella vostra casa, mi ha raccontato dell'incidente.

«Angelika è stata portata in ospedale priva di conoscenza. Hanno fatto il possibile per rianimarla, ma non ha mai riaperto gli occhi.»

«Come sta Margherita?»

«Non saprei. Parla pochissimo. Forse non si rende conto. È stato tutto così veloce. Stavamo preparando qualcosa da mangiare. Margherita voleva la pasta e io la stavo aiutando.»

Ingrid mi ha spiegato tutti i dettagli. Angelika era uscita di strada mentre voi accendevate il fuoco. La sua voce colmava l'abitacolo di paura e voi aspettavate che l'acqua bollisse per aggiungere il sale. Avevate tirato fuori dal frigo il sugo mentre Angelika veniva colpita in faccia dai vetri del parabrezza esploso. Scolavate la pasta e la pioggia iniziava a bagnarle i capelli. Un automobilista aveva chiamato il pronto intervento, ma la loro disperata corsa non era servita. Pochi minuti dopo le otto di quella sera d'estate la donna che più avevo amato e odiato era sparita per sempre, lasciando un vuoto forse peggiore di quello che aveva creato. E voi eravate sedute a tavola davanti a un piatto fumante.

«La polizia ci ha avvertito subito. È stato il nostro vicino ad accompagnarci in ospedale. Non potevo crederci. Le ho telefonato immediatamente.»

«Grazie! Ora dov'è Margherita?»

Ingrid mi ha indicato con un cenno il salotto.

Entrato nella stanza sono rimasto senza parole. Eri in un angolo, seduta per terra. Con le tue gambe troppo lunghe per essere incrociate, sembravi un cervo colpito che si leccava le ferite. Eri diventata così grande ormai.

«Piccola mia!» ho sussurrato. Avrei voluto abbracciarti, stringerti forte, ma tu non mi hai neanche guardato in faccia. Ti sei alzata, ma non per venire da me. Eri una donna e, quando mi sei passata vicino, ho compreso che non solo avevo perso la mia battaglia, ma che le armi erano state deposte già da molto tempo, mentre io stavo ancora escogitando la mia offensiva.

Ho preso una camera in un piccolo albergo vicino a casa tua per un paio di notti. Ho partecipato all'organizzazione del funerale, ho stretto la mano a uno sconosciuto che ti abbracciava facendoti le condoglianze mentre tu ti lasciavi spostare come un sacco vuoto. Ho pensato che fosse l'ultimo fidanzato di Angelika e mi sono chiesto se tu lo avessi incontrato spesso. Poi, avvertendo una sensazione di fastidio, ho cercato di distrarmi.

Più tardi ho trovato il coraggio di sedermi accanto a te sul divano. Guardavo la tua testa, le tue mani e il tuo silenzio.

«Ingrid mi ha detto che dovrò venire con te in Italia.» Sono rimasto un attimo a guardarti come se quella fosse la prima volta che sentivo la tua voce.

«Tu sei nata in Italia.»

«Non me lo ricordo.»

«Eri troppo piccola.»

«Mamma non ne parlava mai.»

Avrei voluto dire qualcosa di bello su tua madre, ma non ne ho avuto la forza.

«Se resto qui verrò affidata ad altri sconosciuti.»

«Io non ti lascerò qui. Abbiamo una casa e saremo una famiglia.»

«Tu vivi solo?»

«No, ho una compagna. Si chiama Enrica, ti piacerà. È una scienziata. Sa un sacco di cose bizzarre!»

«Quali?»

«Che gli orsi bianchi sotto il pelo hanno la pelle nera, che il frutto più grande al mondo è una noce di cocco o che le persone bionde hanno più capelli...»

«E poi?» Margherita sembrava incuriosita.

«Credo che sappia anche quanti chilometri di vasi sanguigni abbiamo e quanti odori possiamo riconoscere, ma io ora non lo ricordo.»

«Davvero?»

«Certo, e sarebbe felice di trovare qualcuno con cui condividere tutte le sue conoscenze. Qualcuno più in gamba di me!»

Ti sei girata verso il muro come se stessi pensando a quello che ti avevo detto. C'ero riuscito. Ti avevo distolta dal tuo dolore anche solo per un attimo.

«Margherita, te la senti di parlare un po' di quello che è successo?» ho provato a chiederti sperando che tu riuscissi a sfogarti.

«Non lo so», e ti sei allontanata senza aggiungere altro.

Avrei voluto saperti trattenere ancora, raccontarti qualcos'altro, come un ricordo. Ma noi ne abbiamo troppo pochi di ricordi insieme. Abbiamo in comune solo un grande vuoto, quello che, in modo diverso, ci ha procurato tua madre.

Mi sono alzato per andare in cucina a preparare qualcosa nella speranza che tu riuscissi a mangiare.

Mentre servivo la pasta, ho sentito per la prima volta il tuo vero suono. Era armonioso e leggermente stridulo. Ipnotico. Era familiare. Era l'*Ave Maria*, malinconica e incantevole. Sono corso in sala dove tu, in piedi accanto alla finestra, scorrevi l'archetto sulle corde del violino. La tua rabbia e il tuo sdegno sembravano trascinati via dalle note. Ho ascoltato con il respiro rotto dall'emozione cercando di non fare il minimo rumore.

Così è arrivato quel nostro ricordo insieme. Sembrava passato un secolo e tu avevi appena quattro anni. Stavamo correndo per il centro della nostra città alla ricerca di una farmacia aperta. Ti trascinavo tenendoti per mano finché non ti sei fermata di colpo. Ti guardai pensando che avresti alzato le braccia come facevi quando eri stanca di camminare. Eri girata con la testa reclinata di lato a fissare un signore in piedi vicino a un portone che suonava il violino. Era l'*Ave Maria*. Io non me ne ero nemmeno accorto, ma da lui arrivava qualcosa di nobile e magico che solo tu tra la folla avevi sentito. Ti sollevai per poi avvicinarmi. Saremmo arrivati tardi per le nostre commissioni e tua madre mi avrebbe sgridato, ma non avevo il cuore di portarti via. Eri incantata. Muovevi la testa come se stessi leggendo la musica e quel signore lo conoscessi già.

Ora quello stregato ero io. Sapevo che non ti potevi ricordare di quel giorno, ma lì, con il viso appoggiato al violino, me lo stavi facendo rivivere. Mi sono accostato alla parete per paura di non riuscire ad ammirarti. Avrei voluto scoppiare a piangere come un bambino, Margherita, ma non volevo fare rumore. Ho trattenuto tutto. Respiro, voce e vita. Pur di sentirti continuare.

Era esattamente così che ti avrei voluta.

«È diventata brava.»

Non mi ero accorto della presenza di Ingrid alle mie spalle.

«Già. Non avrei mai immaginato quanto», ho commentato mordendomi le labbra.

«Quando è felice, quando non sa cosa dire, tutte le volte che sua madre la sgridava e anche le poche volte in cui sentiva la sua voce al telefono e poi mi chiedeva perché suo padre non venisse mai a trovarla. Lei suona qualsiasi melodia, ma l'*Ave Maria* è sempre destinata ai giorni più tristi.»

Ho guardato quella donna come se mi avesse appena offerto la prima parola del tuo vocabolario. Avrei dovuto ringraziarla.

«Non sono un mostro. Io volevo fare il padre...»

«Lo so. Quando le ho conosciute, non sapevo chi delle due fosse più spaventata. Angelika mi aveva chiesto di prendermi cura di sua figlia mentre era al lavoro. Mi raccontava di aver lasciato qualcosa di terribile in Italia. Aveva voglia di rifarsi una vita lontano da lei. Io le ho creduto. Si crede sempre a una donna in fuga, finché un giorno Margherita mi si è avvicinata e con gli occhi lucidi mi ha chiesto: "Ma quando arriva il mio papà?". Angelika l'ha presa in braccio prima che finisse la frase, ma i suoi occhi dentro i miei, mentre l'allontanava, mi hanno raccontato tutta un'altra storia.»

«Perché mi ha fatto tanto male? Vivrò per sempre con il rimorso di non aver fatto abbastanza. Sarà il mio ergastolo.»

«Non era una donna cattiva. Era solo una bambina. Giocava e faceva i capricci. Era divertente e affascinante, a volte riusciva a farti tremare per quel suo insaziabile bisogno di affetto, altre avrebbe trovato il coraggio di lasciarti congelare in strada senza aprirti la porta. Sapeva essere affabile e selvaggia. E ne era consapevole. Per questo mi aveva chiamata. Per Margherita. Perché io proteggessi sua figlia dai suoi vuoti inspiegabili.»

Io non avrei saputo descriverla meglio.

Quando Ingrid mi ha avvertito che dovevamo correre in ospedale perché mamma aveva avuto un incidente, io ero in salotto a suonare il violino. Aveva chiesto al nostro vicino di accompagnarci con l'auto ed era tornata a prendermi. Io ero lì, immobile, con l'archetto che si allungava fino al pavimento. Si è avvicinata a me e con delicatezza mi ha detto: «Ora dobbiamo andare». L'ho seguita.

In auto, con il violino sulle ginocchia, ho ripensato alla prima volta che avevo sentito parlare di questo strumento. Era stata Ingrid a raccontarmi quella favola incredibile una sera prima di dormire.

«C'era una volta un violinista di fama mondiale, un certo Joshua Bell, che decise di fare uno strano esperimento.»

«Cosa ha fatto?» chiesi infilandomi sotto le coperte.

«Aveva iniziato a suonare in incognito nella metropolitana di Washington regalando a tutti i passanti uno dei suoi migliori concerti, ma dopo un'ora aveva raccolto solo una manciata di dollari, qualche applauso e il riconoscimento di un solo incredulo spettatore.»

«Davvero?» C'era qualcosa di magico nelle sue parole.

«Aveva suonato l'*Ave Maria* di Schubert con il suo violino dal valore inestimabile, ma nessuno lo aveva riconosciuto.»

«Il violino? Ne ho visto uno sul libro di musica.»

«È uno strumento delicato ed elegante. Non sappiamo apprezzare il vero valore delle cose anche quando le abbiamo sotto il naso», aveva concluso Ingrid mentre io continuavo a pensare alle parole «delicato ed elegante» come se le avessi sentite per la prima volta.

«Me la fai ascoltare?»

«Cosa?»

«L'*Ave Maria*!»

«Certo, domani andiamo a cercarla al centro commerciale.»

Quella sera mi addormentai pensando al violino, alla metropolitana di Washington e a quanto sarebbe stato figo essere stata l'unica a riconoscere Joshua Bell in mezzo alla folla.

Il giorno dopo, un commesso del *music store* mi sistemò una grossa cuffia sulla testa e quelle note mi vibrarono dritte nel sangue. Le avevo già ascoltate, ma non ricordavo dove. La testa mi si riempì di immagini sfuocate. Era come se stessi vivendo un sogno a occhi aperti. Guardai Ingrid e le dissi: «La conosco già. Voglio imparare a suonarla».

Dopo quel giorno, a scuola lasciai il corso di sassofono per iscrivermi a quello di violino. Mamma acconsentì ad acquistarne uno usato come regalo di Natale perché potessi esercitarmi a casa. Era un sette ottavi in buone condizioni. Ho sempre pensato che l'avessero trattato bene, come deve essere con le cose a cui tieni. Era solo un po' scheggiato sul fondo, dove si intravedeva il colore più chiaro del legno. La signora del negozio, in cui eravamo andate su suggerimento della mia insegnante, mi disse di osservare bene la parte superiore del manico dove era stato inciso un piccolo stemma. «È insolito per un violino, probabilmente ha avuto un trascorso nobile!» mi disse ridendo. Forse stava scherzando, altrimenti perché liberarsene? Ma a me è sempre piaciuto pensare che il mio strumento fosse qualcosa di prezioso. Quando lo mostrai alla mia insegnante, lei si mise le mani nei capelli dicendo che, per quanto quello fosse uno strumento bellissimo, io avrei dovuto aspettare ancora qualche anno per poterlo suonare. Era troppo grande per me. Sparì qualche minuto, lasciandomi tra la delusione e la speranza, e rientrò portandone uno più piccolo, detto un quarto, che mi avrebbe prestato per un po' di tempo fino a quando le mie braccia fossero state lunghe abbastanza per impugnare il mio. Così il mio violino diventò ancora più prezioso.

La sera dell'incidente di mamma non ero riuscita a lasciarlo a casa. Ingrid ci aveva provato. «Il violino ora non serve, dobbiamo correre, tesoro.» Ma poi non badò molto al fatto che io non avessi obbedito e me lo fossi trascinata dietro. Mentre la macchina attraversava Viborg, io accarezzavo le sue corde, pensando che appena mamma avesse ascoltato il suo suono si sarebbe sentita subito meglio, come se fosse a casa.

Perché mi piace suonare? Perché è l'unico momento in cui non mi sento straniera, come una pianta senza vaso, come un violino in attesa del suo archetto. Quando suono mi sento bene, mi sento io, perché arrivo a creare qualcosa di bello solo dopo avere sbagliato e stonato mille volte. Ma volete sapere qual è la cosa che mi piace di più? Le note che riempiono l'aria anche quando ho smesso di suonarle.

«Dov'è il passaporto di Margherita? Voglio portarla in Italia prima che...»

Ingrid ha annuito e ha preso il tuo documento dal cassetto.

«Forse lei dovrebbe venire in Italia con noi», continuai.

«Approfitterò di questi giorni per andare a trovare mio figlio in America. Non lo vedo da tanto e staccare farà bene anche a me.» Ha fatto una pausa e fissandomi dritto negli occhi ha continuato: «Lo so che è spaventato. Chi non lo sarebbe? Ma non riuscirà mai a costruire un vero rapporto con Margherita se c'è sempre qualcuno a fare da filtro. Questa è la sua occasione. Dimostri che non è troppo tardi. Margherita ha solo bisogno di capire chi è e ora è compito di suo padre aiutarla. Io vi guarderò da lontano, sempre pronta a salire sul primo aereo!».

Le sue parole avevano un suono che non sentivo da tanto. Quello della fiducia in me. Eri stata fortunata ad averla avuta vicino in tutti quegli anni, e se ora non era davvero troppo tardi forse era merito anche suo.

Poco dopo ti si è avvicinata e in un danese stretto e veloce ti ha detto qualcosa. Tu, Margherita, ti sei girata verso di me e hai deglutito lasciandoti abbracciare.

Siamo partiti poche ore dopo il funerale. Lo so che sembra orribile non averti dato nemmeno il tempo di lenire il tuo dolore, ma questo è territorio ostile, io qui non conto nulla.

L'unica speranza che avevo di riportarti a casa era quella di essere il più veloce possibile.

Diventare pazzi? Dovremmo iniziare a chiederci per quale motivo rimaniamo noi stessi. Di fronte a tutto quello che ti può accadere in un solo istante, a tutto quello che ti può essere strappato via senza che tu lo voglia, forse sarebbe più corretto pensare a cosa non ci fa perdere il controllo.

Eri nata il 20 ottobre ed eri bellissima. Lo dicevano tutti. Era stata una giornata strana per me. Incredibile. Avevo fatto del mio meglio. Avevo assistito tua madre aiutandola nella respirazione e stringendole la mano. Poi sgusciasti fuori come un pesce. Accarezzavo la tua pelle trasparente chiedendomi se sarebbe rimasta così per sempre. E mentre eri attaccata al seno e nessuno si occupava di me, uscii fuori da quella stanza e da quell'edificio. Lì, in un giardino che pullulava di camici bianchi, passanti e ambulanze, finalmente riuscii a respirare. Ero diventato padre. Mi sentivo strano, come se le mie ossa si fossero allungate e gli abiti avessero iniziato ad andarmi stretti. Ero diventato grande. Ora ero un uomo e mi sarei occupato di te a qualunque costo e, anche se mi fosse mancata ancora l'aria come in quell'istante, sapevo di avere una sola priorità. Tu, Margherita.

Rientrato nella stanza, mi sentivo importante come se tutti guardassero me perché io ero uno degli elementi fondamentali di quel triangolo perfetto. Ma lo sguardo inebetito di Andrea, il mio amico di sempre, l'unico che di solito riusciva a smorzare le mie tensioni, sembrava invece dirmi: "Io non saprei da che parte cominciare".

"Nemmeno io", avrei voluto rispondergli. Ed era vero, Margherita. Non lo sapevo davvero, ma avrei fatto del mio meglio. Di questo ero certo.

I primi giorni furono difficili come devono essere quando ti nasce un figlio. Notti insonni, la paura che tu non respirassi, il desiderio di controllarti ogni secondo. Attenzione al tono della voce, ai movimenti bruschi, agli oggetti appuntiti. Cura per tutto, per l'igiene, il cibo e la nostra salute. Non eravamo più solo due individui, una coppia: ci eravamo trasformati in qualcosa di importante, perché esistevi tu. Ora la mia salute non era più da salvaguardare in quanto tale, ma perché solo grazie a lei sarei stato un padre capace e presente. Non avrei nemmeno più preso l'aereo o guidato l'auto se non fosse stato necessario. Fortunatamente con il passare del tempo tutto si normalizzò, e capire che le cose sono spesso più semplici di come sembrano mi fece stare meglio.

Sai, Margherita, noi uomini abbiamo ancora bisogno delle istruzioni perché non vi teniamo nella pancia per nove mesi e questo non ci permette di conoscervi ancora prima di avervi visti. No, noi dobbiamo imparare tutto insieme a voi e stare attenti a non commettere errori. Ma gli errori si commettono e io in questo non sono diverso dagli altri.

Un giorno, quando avevi tre anni, ti accompagnai ai giardini e tu scivolasti dalla piccola altalena su cui ti avevo fatto sedere. Fu solo un attimo, ma non riuscii a prenderti al volo. Avevi battuto la testa e in quel secondo di silenzio, tra la botta e il tuo pianto, il mondo, il mio mondo, si fermò. I medici in ospedale mi dissero che non era nulla di grave e che la ferita sarebbe guarita in fretta. Non avrei mai creduto che un giorno avrei letto di quell'episodio fra le testimonianze di tua madre. Citava il referto dell'ospedale per sostenere la tesi che io, come padre, valevo talmente poco che era stato necessario portarti lontana migliaia di chilometri e trovarti subito un nuovo papà. Ma io quel giorno ti avevo riportata a casa in braccio, con un cerotto sulla fronte e un palloncino tra le mani. Non avrei voluto che ti fossi fatta male e, quando ti promisi che non sarebbe mai più accaduto, tu mi sorridesti.

Quello era il tuo perdono.

La memoria è un bene prezioso. Può essere collettiva, informatica o a lungo termine. Ci aiuta a codificare, assimilare e capire. Riconosciamo chi siamo, chi abbiamo vicino e cosa dobbiamo fare. Ci permette di essere noi stessi. Sì, la memoria è qualcosa di straordinario anche se a volte ricordare ci distrugge.

Non è stato come nei film. Nessun discorso d'addio. Nessun «ti voglio bene» o «sei stata la cosa più bella di tutta la mia vita». Quando siamo arrivate in ospedale, lei non c'era già più. La bocca semiaperta e le braccia abbandonate lungo il corpo non sembravano le sue. La mia mamma non si sarebbe mai messa in quella posizione. Un medico ha scosso la testa e ci ha lasciate sole. Ingrid mi teneva le mani sulle spalle come se avesse paura che scappassi.

«Margherita, te la senti di avvicinarti? Vuoi salutare la mamma?»

Ho fatto qualche passo e, trattenendo il respiro, ho appoggiato la fronte alla sua come facevamo quando rientrava dal lavoro. Mamma non c'era più e con lei era fuggito anche il suo odore.

«Mamma non è più qui.»

Sono indietreggiata scrollando la testa e mi sono rifugiata fra le braccia di Ingrid. Avevo paura.

A casa abbiamo dovuto scegliere una sua fotografia. L'abbiamo cercata senza guardarci negli occhi per non scoppiare a piangere. Eccola, questa. L'avevamo scattata alla sua festa di compleanno. Sorrideva, un sorriso biondo come il sole. Era bellissima.

Il giorno del suo funerale c'eravamo io, Ingrid, l'ultimo fidanzato di mamma, qualche vicino e il mio padre italiano, quello che mamma non voleva mai vedere perché sosteneva che fosse meglio perderlo che trovarlo e che un giorno l'avrei compreso da sola. Ma lui stava lì a fissarmi con l'aria timida o imbarazzata o forse entrambe insieme. Sembrava a disagio, come se avesse fretta, ma non volesse farsene accorgere.

Lavori, rincorri il tempo che sembra non bastare mai e fai progetti. È la vita o almeno il suo modo di essere interpretata. Un inanellarsi infinito di cose da fare. Però poi capita che di colpo qualcosa cambi e tutto quello che hai creato fino a quel momento assume un altro significato.

Quando siamo atterrati in Italia sono stato avvolto da quella bellissima sensazione che è la libertà. Ti ho guardata. Sei rimasta immobile durante tutto il volo, con la testa appoggiata al finestrino e lo sguardo fisso sull'ala dell'aereo.

Mi sono sgranchito le gambe e ho preso il nostro bagaglio, ma tu non ti sei mossa.

«Margherita, siamo arrivati», ho detto, mentre i passeggeri mi superavano uno alla volta.

Nessun cenno.

«Margherita, dobbiamo scendere.»

Ho appoggiato la borsa per terra e mi sono seduto di nuovo vicino a te.

Ho allungato una mano sul tuo ginocchio, ma tu l'hai allontanata di scatto e, come se non volessi farti toccare, ti sei raggomitolata ancora di più sul sedile. Sembravi temere che ti volessi fare del male. Con la coda dell'occhio ho visto una hostess che mi stava fissando e ho iniziato ad agitarmi. Perché quella sensazione di essere sbagliato non mi abbandonava mai?

«Margherita, ascoltami, è importante. Siamo arrivati in Italia, a casa. Questo è il posto in cui vivremo insieme.» Ma il tuo sguardo sembrava ancora pieno di paura e mi hai fissato come se fossi un estraneo.

«No, no, no... io non voglio venire con te!» E le tue parole mi hanno trafitto una a una. Il sangue mi si è gelato nelle vene e non sono riuscito a dire nulla.

«Va tutto bene, signore? Dovete lasciare l'aereo. Stanno per salire gli addetti alle pulizie.»

«Certo che va tutto bene!» ho gridato io senza nemmeno guardarla.

«Signore, questa ragazza è sua figlia?»

Possibile che non fosse chiaro per nessuno?

«Certo che è mia figlia», ho urlato. «Perché me lo chiede?»

Poi è accaduto quello che più temevo. La hostess si è avvicinata e ti ha chiesto chi ero. Vederti piangere chiedendo di tornare da tua madre è stata la ferita più profonda.

Mi sono appoggiato al sedile mentre la signorina mi intimava di allontanarmi da te. Aveva intenzione di chiamare la sicurezza per chiarire la situazione.

«La prego, non lo faccia.»

«Lei non si muova!»

«Mi scusi, non volevo alzare la voce», ho detto, cercando di riprendere in mano la situazione.

«Se questa è sua figlia perché non vuole venire con lei?» ha incalzato la donna con un tono minaccioso e la voce tremante.

«È una situazione molto difficile da spiegare. Mia figlia è cresciuta in Danimarca con la madre. Ora verrà a vivere con me qui in Italia, dove è nata, perché sua madre non si può più occupare di lei», ho mormorato, sperando che lei capisse.

Ci siamo fissati per un lungo minuto. Pregavo che la mia espressione raccontasse tutto quello che non ero riuscito a dire con le parole.

«Mi mostri i vostri documenti.»

«Certo! Eccoli.» Ho sperato che le bastasse leggere lo stesso cognome su entrambi i passaporti per lasciarci andare.

«Margherita, ascolta, te la senti di scendere ora?»

Mi sono voltato verso di te e con mio grande stupore ti ho vista annuire e slacciare la cintura. Ho sorriso mentre un paio di grosse lacrime mi attraversavano le guance.

Poco dopo mi hai sfiorato un braccio e hai detto: «Posso telefonare a Ingrid?».

«Certo, tesoro», e ti ho dato il mio telefono.

Essere bravi, riuscire a fare qualcosa di buono, trovare la migliore soluzione per togliersi dai guai richiede riflessione, impegno e concentrazione. Ci vuole tempo e dedizione. Poi arriva un pizzico di fortuna e puoi tirare un sospiro di sollievo.

Ho vinto io. Ti ho riportato a casa, qui dove sei nata, o almeno ci ho riportato il tuo corpo, perché la tua anima, il tuo cuore e tutti i tuoi sentimenti non li vedo. Mi ripeto che è troppo presto sia per te che per me.

Appena varcata la soglia, Enrica ci viene incontro sorridente. «Ho sistemato la stanza degli ospiti. Ho comprato un letto e mi sono fatta aiutare dagli amici per montarlo, ti piacerà!» Come se stesse recitando una poesia ha continuato: «Hai una scrivania e un armadio nuovi».

Tu l'hai guardata timorosa e lei, come se si fosse bruciata, ha strillato: «Oddio, scusami, tu non capisci la mia lingua, *but I speak a good english, don't worry*».

«Non ti preoccupare, ho capito. Dov'è la mia stanza?»

Enrica ti ha fatto strada come se niente fosse, mentre io mi sono sentito morire per lei.

A tavola poco dopo si ripete la stessa dinamica. Enrica esplode dalla voglia di comunicare con te, ma tu ti limiti a rispondere a monosillabi e ad assaggiare le lasagne con il sugo come le fa sua madre e un po' di torta al cioccolato.

«Ora posso alzarmi?» hai chiesto spostando la sedia, decisa a rinchiuderti nella tua stanza, lasciandoci lì. Ho allungato una mano su quella di Enrica e le lacrime hanno iniziato a scivolare fuori. Ho pianto in silenzio, perché non volevo che tu mi sentissi.

«Non ce la faremo mai!» ho sussurrato.

«Diamole tempo di ambientarsi.»

«Ci guarda appena. È composta e educata, ma anche così distante.» Poi, come se una flotta di ricordi mi avesse messo sotto attacco, ho detto: «Avrei dovuto passare la frontiera tenendola nascosta in auto prima che fosse così tardi, prima che diventasse una sconosciuta. Ma non ho mai avuto abbastanza coraggio. È per questo che non mi merito di fare il padre».

Enrica si è allontanata da me.

«Fare il padre non è questione di coraggio. È questione di cuore!»

Il giorno seguente mi sono alzato presto, non avevo dormito molto, ma il letto non è riuscito a trattenermi. Ho passeggiato davanti alla tua porta chiusa.

«Dalle tempo. Uscirà da sola. Ha appena perso sua madre e si trova in un posto nuovo con...»

«Con degli sconosciuti? È questo che vuoi dire?»

«Francesco, ti prego.»

«Non è colpa mia, eppure è come se lo fosse. Non sono stato io ad allontanarla, non sono stato io ad averla strappata dal suo mondo senza dare spiegazioni. Le vittime di tutto questo siamo noi. Lei che non sa chi è e io che non so come aiutarla. Come la tiro fuori da quella stanza e da tutto questo dolore, se non so nemmeno da che parte cominciare?»

Enrica si è alzata. Ha tagliato una fetta di torta e l'ha appoggiata su un piatto, poi ha versato del caffè molto allungato in una tazza e me li ha messi in mano.

«Iniziamo dalle cose più semplici. Avrà fame.»

Ho fatto qualche passo e poi sono tornato in cucina.

«Mi dici una di quelle tue cose assurde? Una di quelle che ricordi solo tu?»

«Uhm, vediamo. Ci sono, questa è perfetta. I koala e le scimmie sono gli unici animali con le impronte digitali!»

36

Era vero. Era perfetta. Ma in bocca a lei sembrava molto più affascinante.

Ho conosciuto Enrica una sera di otto anni fa. Angelika ti aveva portato via già da due anni. Arrivò nella mia enoteca su invito di Marta, la fidanzata di Andrea, il mio socio, insieme a molte altre persone. Marta ed Enrica erano amiche e quando quella che sarebbe poi diventata la mia compagna cercava un posto dove festeggiare il suo concorso come ricercatrice universitaria, Marta le aveva proposto la nostra piccola enoteca in pieno centro storico, perfetta per chi ama il buon vino. I suoi occhi entrarono nei miei, ma io cercai di evitarla per tutta la sera. Io ero tuo padre, vivevo relazioni occasionali prive di ogni coinvolgimento. Sfuggivo accuratamente le donne che avessero un qualsiasi legame con la mia stretta cerchia di amici e parenti. Andrea era mio amico da sempre, un enologo impeccabile. Avevamo trasformato un piccolo locale in un ritrovo per intenditori, avventori di passaggio pronti a gustare foie gras e prosciutto, frequentatori di teatro desiderosi di finire la propria serata culturale con un bicchiere di Chardonnay e una tartare di tonno rosso e pistacchi.

Tra quelle mura avevo vissuto i momenti più belli della mia vita. Il giorno dell'inaugurazione, il mio brindisi di addio al celibato, la prima serata a tema quando non le faceva ancora nessuno, il primo personaggio pubblico seduto a uno dei nostri tavoli, quell'articolo a mezza pagina sul giornale con noi due in posa plastica, oggetto di scherno da parte degli amici per anni. Era stato lì che ci eravamo ubriacati con una bottiglia di Barolo quando avevo saputo che Angelika era incinta e dove avevamo festeggiato la guarigione del padre di Andrea da un brutto male. Ed era stato lì che ero corso quando eravate sparite senza dire una parola. Era estate, so perfettamente il giorno, ma non lo voglio scrivere perché altrimenti dimenticarlo sarebbe impossibile. È già abbastanza difficile.

Quella sera, quando chiudemmo il locale era ormai tardissimo; Andrea ci salutò e sparì frettolosamente con il preciso intento di lasciarci soli. Guardai Enrica e le chiesi se avesse bisogno di un passaggio a casa, lei accettò. Mentre saliva in auto mi ripetevo che avrei dovuto resistere, che quello non era il momento di infilarsi in un altro casino e che la donna seduta accanto a me infrangeva la regola fondamentale: era amica di un mio amico. Mi chiese di salire da lei per bere una tisana.

«È meglio di no, magari un'altra volta», risposi sperando di averla demoralizzata abbastanza.

«Non ti salto addosso, stai tranquillo, solo una tisana e due chiacchiere.»

"L'hai voluto tu", pensai.

Guardai Enrica sperando di capirci qualcosa. Mia moglie era fuggita con mia figlia come se io non contassi nulla. Sperai che lei fosse semplicemente diversa, e fosse lì per me.

Pochi minuti dopo mi ritrovai seduto al centro della sua cucina con una grossa tazza fra le mani a parlare di voi due.

«Eravamo una coppia come tante. Io mi dividevo tra la famiglia e l'enoteca. Lei faceva la traduttrice. Eravamo stati così innamorati da decidere di sposarci e avere Margherita. Poi era arrivato un momento difficile, pieno di stanchezza e incomprensioni per via del mio lavoro e dell'impegno costante che richiedono i figli. Angelika non permetteva a mia madre di essere molto presente e pretendeva di fare tutto da sola, ma credo che avrebbe preferito essere più libera. Poi un giorno è andata a trovare suo padre, come faceva spesso, e ha portato Margherita con sé. Eravamo sposati da sette anni. Ho sperato che una pausa le avrebbe fatto bene. Dopo una prima chiamata per dirmi che erano arrivate e stavano bene, non mi fece più sapere nulla. Il telefono staccato, nessun messaggio in segreteria. Sarebbero dovute rientrare dopo due settimane, ma alla fine della prima io non avevo ancora ricevuto nessuna notizia. Pochi giorni dopo arrivò una telefonata per avvertirmi che suo padre non stava bene e che per questo si sarebbero fermate qualche giorno in più. Mi disse di non preoccuparmi anche se non si faceva sentire spesso, perché era molto impegnata a occuparsi del padre. Mi tranquillizzai perché nessuno crede di essere entrato in un incubo appena nota qualcosa di strano. Era arrivato un elemento difficile da gestire, il silenzio.

«Nessun'altra risposta e nessuna notizia, finché un giorno ricevetti una lettera in cui mi diceva che non riusciva più a stare con me e che sarebbe rimasta dov'era. Desiderava il divorzio perché il nostro amore era finito da tempo e sarebbe stato meglio per tutti separarci. Quella sera corsi da Andrea. Rimanemmo quasi tutta la notte al locale, con la saracinesca abbassata, con le mie lacrime e le sue mani sul mio braccio per dirmi che lui era lì, per quanto fosse difficile da comprendere, e non mi avrebbe abbandonato. Volai in Danimarca per scoprire che mio suocero era già morto e che ciò che la tratteneva era un giovane uomo italiano che non abitava molto lontano da casa nostra. Lo avevo incontrato diverse volte nel supermercato vicino all'enoteca. I pezzi iniziarono ad assemblarsi.»

Possibile che mia moglie avesse una relazione da mesi e io non me ne fossi mai accorto?

«Suo padre era mancato lasciandole una piccola proprietà e lei aveva abbandonato l'Italia per vivere nella campagna danese insieme a uno sconosciuto e a mia figlia, come se io non fossi mai esistito o, peggio ancora, come se tutto questo, perdere moglie e figlia, mi andasse bene. Mi allungò il modulo prestampato del divorzio consensuale che aveva un valore legale nel suo paese e mi strinse la mano. Non ebbi il coraggio di portare via Margherita perché pensavo di fare la cosa sbagliata. Era troppo piccola e lei era la sua mamma. Come avrei potuto? Viviamo in un paese discusso e criticato, ma dove la parola mamma ha un valore immenso che vince su tutto. I bambini non si allontanano dalle madri, perché qui le mamme sanno di latte e biscotti appena sfornati, di abbracci caldi e coperte rimboccate, di grembiuli infarinati e pacche affettuose. Qui le mamme sanno di verità e fragranza.

«Non si può immaginare come ci si senta all'inizio, quando la donna della quale ti fidavi ciecamente scompare con tua figlia. Ti senti in colpa, pensi di aver sbagliato tutto. Noi uomini siamo molto semplici, prevedibili. Non è difficile farci star male.

«L'anno dopo è stato il più duro. Mi erano concesse rare e sporadiche visite a mia figlia solo alla presenza delle assistenti sociali ed ero obbligato a esprimermi in danese, lingua che conoscevo poco. Mi sembrava di essere precipitato in un incubo e finché non ho conosciuto l'associazione che unisce tanti padri e madri nella mia stessa situazione ero completamente perso. Mi sentivo come se mi avessero tolto la speranza, il futuro, il cuore. Non riuscivo a consumare un pasto completo, a dormire una notte intera e ad assumermi un impegno lavorativo. Ogni respiro era accompagnato da una fitta, un pensiero costante, una domanda senza risposta, ma soprattutto dalla profonda e inguaribile malinconia di Margherita. Era lontana e non sapevo nemmeno se le avessero spiegato il perché. Non sapevo nulla. La chiamavo quasi tutte le sere e quando Angelika si degnava di rispondermi cercavo di parlarle con voce calma e rassicurante, la voce di un papà, tutto quello che avevo. Volevo che non si sentisse abbandonata, ma era così piccola e si trovava in un posto sconosciuto, lontano e senza tutti i nostri colori. Speravo che sua madre le stesse vicina, sapevo che aveva bisogno di lei, ma non volevo pensasse che avere lei sostituisse me. Poi un giorno ho sentito la mia voce rimbombare e ho capito che le nostre conversazioni, le mie parole ripetitive e rassicuranti e i suoi monosillabi da bambina, erano ascoltati da tutti.

«Perché? Improvvisamente non ero più degno di avere un canale privato di comunicazione con mia figlia? Possibile che fossi passato da essere suo padre a essere solo un fastidio?

«Scrissi ad Angelika una lunga lettera, ma non ricevetti nessuna risposta. Qualche mese dopo mi disse che l'avrebbe riportata a trascorrere le vacanze di Natale con me. Mi calmai. La speranza è il migliore dei sedativi, ma Margherita non tornò mai perché sua madre cambiò idea, o forse l'aveva detto così, tanto per dire, tanto per prendere tempo e fare di me ciò che voleva.

«I giorni passavano e io non riuscivo a capire, finché una mattina la mia ex moglie mi chiarì definitivamente le idee dicendomi che sarebbe stato meglio che io non la cercassi più perché la mia presenza frammentaria creava solo confusione alla bambina e impediva il naturale avvicinamento con quello che sarebbe diventato il suo nuovo padre.

«Se mi avessero preso a coltellate sarebbe stato meno doloroso, meno strano, meno ingiusto.

«Mi precipitai da un avvocato che mi consigliò di fare richiesta di separazione in Italia e di prepararmi al peggio perché sicuramente mia moglie avrebbe sparato il cosiddetto "proiettile d'argento", una denuncia per maltrattamenti e molestie su un minore. Alla prima udienza il giudice si sarebbe preso almeno sei mesi per accertare la veridicità delle accuse. "Solo il sette per cento di queste accuse hanno fondamento." La voce del mio legale mi colpì dritto in faccia. Mi stava chiedendo se l'avevo mai molestata o picchiata? Oppure non gli importava affatto? Facevo parte di quel novantatré per cento che pagava per una minoranza di delinquenti o ero tra quelli graziati che dovevano solo aspettare senza essere ulteriormente umiliato?»

Mi ero chiesto se Angelika mi avrebbe accusato di una cosa tanto infamante o se le fossero venute in mente tutte le mattine che vi avevo portato la colazione a letto, tutte le sere che avevo trascorso a leggerti le favole per farti addormentare e tutte le volte che mi correvi incontro come si fa con un padre e non con un mostro. Avrei voluto convincermi che, se non aveva intenzione di rispettare il futuro, almeno lo avrebbe fatto con il passato.

Avevo raccontato a Enrica senza fermarmi quasi tutto il mio dolore, quando mi accorsi che si era fatta mattina. Lei era ancora lì davanti a me, in silenzio. Mentre mi scusavo per lo sfogo mi resi conto che non avevo mai raccontato la mia storia per intero. In quei due anni era rimasta sempre dentro di me. Solo pezzi sputati qua e là. Enrica mi prese per mano e mi portò in salotto.

«Sdraiati. Credo che tu abbia bisogno di dormire un po', ora.»

Mi allungai e lasciai che quella donna si prendesse cura di me. Non mi aveva paralizzato con le solite offensive domande sul perché possa accadere una cosa simile. Non metteva in dubbio le mie parole, mi credeva.

Quando mi svegliai, era ormai giorno fatto. Rumori dalla cucina e un profumo invitante. Mi alzai, stropicciato e imbarazzato, pensando al mio fiume di parole della sera prima e a come di giorno le cose sembrino sempre diverse. In quel momento non riuscivo a dire nulla. Mi sentivo chiuso come una conchiglia. Enrica mi offrì un caffè bollente e dei pancake caldi e incredibilmente non mi fece domande.

«È da tanto che non mi capitava.»

«Cosa?» mi chiese.

«Di sentirmi così.»

«Così come?»

«Bene con una persona che non sia Andrea, con una donna, un'altra donna», risposi grattandomi la testa per superare l'imbarazzo.

«È quasi ovvio che sia una donna ad aiutarti», mi rispose lei sorridendo. «Chi pensi che abbia inventato i giubbotti antiproiettile o le uscite di sicurezza?»

La guardai: non riuscivo a seguirla. «Chi?»

«Delle donne! Siamo abituate a portarvi in salvo.»

O alla deriva.

Avevo sperato che fosse diversa. Ero stato esaudito.

Cosa fareste se aveste una sola ragione per continuare, e infinite per smettere? Mollereste la presa, abbandonereste il ring, declinereste ogni responsabilità e incassereste la sconfitta. No?

A volte è più complicato di così perché quell'unica motivazione sembra essere più forte di tutte le innumerevoli altre messe insieme.

Simona, 45 anni, non vede sua figlia da quattro anni, da quando nel 2010 l'ex marito egiziano l'ha portata via senza permesso. Sull'uomo pendono un'ordinanza di custodia cautelare e un mandato di cattura internazionale per sottrazione di minore ma, nonostante questo, di lui e della piccola non si hanno più notizie.

Quando frequentavo la scuola danese, ci hanno spiegato come nascono i bambini. Una procedura complicata che dovrebbe averci fatto estinguere già da parecchi secoli. Un incrocio di dosaggi ormonali, brevi finestre temporali, età biologica e fortuna. La professoressa di scienze ci ha dedicato quasi quattro lezioni perché voleva essere certa che prestassimo all'argomento la giusta attenzione e avessimo tempo di riflettere per poterle fare tutte le domande del caso. Lecite, s'intende.

Quello che non mi è ancora ben chiaro è il perché si debba venire al mondo e soprattutto perché, se i genitori sono due, i figli possono essere anche uno solo. Dovrebbero istituirlo per legge, se decidi di fare un figlio poi ne devi fare subito un altro. In questo modo, quando deciderai di separarti, ogni genitore ne avrà uno in consegna evitando inutili liti per l'affidamento, o peggio ancora, per il non affidamento. So che vi sembrerà un ragionamento contorto, ma come dice Ingrid, la mia baby-sitter da quando ho quattro anni, io ho una gran bella fantasia.

Quando mio padre mi ha chiamato per il pranzo, mi sono mossa con lo stesso entusiasmo che doveva avere Maria Antonietta mentre si dirigeva alla ghigliottina. Non credo ci volesse uno psicologo per comprendere che avrei preferito essere trasparente invece di sentirmi ripetere in continuazione: «Come ti senti?» o «Hai fame?». La mamma mi mancava. Così mi perdevo a pensarla e uno strano nodo mi si gonfiava in gola, ma sono riuscita a trattenerlo e mi sono alzata per andare in cucina.

Erano già seduti a tavola. Enrica ha tagliato un arrosto e me ne ha servito alcune fette insieme alle patate. Quel gesto mi ha fatto venire in mente un'immagine sfocata. Ero piccola ed eravamo in cucina. C'erano questo papà e la mamma. Sorridevano. I miei occhi si sono riempiti di lacrime e, come se avessi una molla sotto il sedere, sono scattata in piedi per correre in quella che era diventata la mia camera. Mi sentivo strana. Da quando la mamma era morta non avevo ancora pianto. Ho pensato che fosse arrivato il momento, invece piccole gocce d'acqua si limitavano a uscire silenziose come se fossero sull'orlo di un contenitore troppo pieno. Ho avvertito la presenza di qualcuno dietro la porta e ho fissato la maniglia. Poi la presenza si è allontanata, e io ho tirato un sospiro di sollievo. In quel momento avrei voluto che Ingrid fosse lì come me.

Mamma non approverebbe il mio comportamento. Mi raccomandava di essere educata in casa degli altri. Ma sosteneva anche che le persone non cambiano e sono destinate a ripetere sempre gli stessi errori. Loro invece sembrano gentili e davvero preoccupati per me. Enrica ripete sempre che ho bisogno di ambientarmi, come se desse per scontato che starò qui per un bel po', e quando si rivolge a me parla lentamente perché non è ancora convinta che capisca. In realtà non ho nessun problema con l'italiano ed è merito di Giuseppe, un ragazzo genovese che è stato il mio primo padre in Danimarca. Visse con noi fino ai miei otto anni. Ricordo che un giorno mamma mi disse che avrei anche potuto chiamarlo papà. Qualche mese dopo lui sparì senza dare troppe spiegazioni e mamma pianse per intere giornate finché decise di andare a fare una breve vacanza per superare il suo dolore. Ingrid si trasferì da noi per accudirmi.

Una di quelle sere mi chiamò dicendomi che mi volevano al telefono. Era Francesco, l'altro mio papà, quello vero che però viveva in Italia, quello da cui ci eravamo allontanate perché non ci voleva più.

«Pronto?» risposi più incuriosita che convinta.

«Margherita, tesoro! Come stai? Sono così felice di sentirti!» Sembrava davvero contento di parlarmi. Mi chiese della scuola, dei giochi e se possedevo un computer, perché avrebbe voluto regalarmelo lui.

Quando la conversazione finì mi voltai verso Ingrid e le domandai: «Ma era il mio papà italiano?».

«Certo. Si chiama Francesco. Hai vissuto con lui quando eri piccola. Perché me lo chiedi?»

«Non so.» Poi guardando la cornetta del telefono continuai: «È che sembrava così gentile».

Telefonò tutte le sere mentre mia madre era via. Chissà perché tutto quell'interesse proprio in quei giorni.

Un pomeriggio chiamò anche la mamma e poco dopo Ingrid mi disse: «Per farla tornare basterebbe dirle che tuo padre sta venendo qua!». Ci fissammo per un attimo come se aspettassimo che le sue parole arrivassero a terra facendo rumore. Io mi allontanai chiedendomi a quale padre si riferisse.

Ora vorrei che Ingrid fosse anche lei qui in Italia perché sapeva sempre tutto. Come si fa la torta al cioccolato che resta morbida, cosa mangiano i pesci rossi, come cuocere le castagne senza bruciarle, e che ai bambini piace ridere.

Ho aperto la custodia del mio violino e ho fatto quello che so fare meglio. Ho suonato la sonata preferita di mamma e per un attimo è stato come averla lì a guardarmi.

Può essere emotiva o concettuale, intuitiva o artificiale, ma solo se sarà capace di farti adattare alla situazione in cui ti trovi sarai certo di essere dotato di una intelligenza buona e utile.

«Se domenica fosse bello potremmo andare al mare, che ne dici?» ho domandato con il tono naturale di chi sa nascondere bene il terrore di ricevere un no come risposta.

Ma tu riuscivi a fare di peggio e in questo eri identica a tua madre. Non parlavi. Conoscevi benissimo due lingue, ma non dicevi una parola. Ti limitavi a muovere la testa e a fissare il pavimento per non incrociare i nostri sguardi. Eri così educata da sembrare disegnata, così immobile da sembrare priva di vita. Mentre la mia paura cresceva, ti guardavo a distanza di sicurezza per timore di toccarti, di vederti reagire, di accompagnare la tua rabbia fino all'esplosione senza sapere che fare. Rimanevo lì a un passo esatto da te, perché tu mi vedessi ogni volta che ti giravi. Se fossi inciampata o se per fare un salto avessi avuto bisogno di un appoggio, ti sarebbe bastato allungare una mano. Anche senza guardare.

«Non parla.»
«Ha bisogno di tempo.»
«Sono passati due mesi e potrei contare le sillabe che ha pronunciato.»

Enrica si è seduta di fronte a me. «Deve fare i conti con la sua vita, devi avere pazienza...»

«Era più felice prima, vero?» Era la cosa che più temevo. Tutto il tuo passato senza di me. Avrei potuto descrivere ogni mio singolo minuto senza di te, ma neanche un frammento di quello che avevi vissuto tu. Della tua vita fino a oggi non sapevo quasi nulla. Avevo desiderato che tu stessi male. È questa la verità e ti giuro che mi sento un verme per questo. Speravo che la tua sofferenza ti si leggesse negli occhi e che qualcuno se ne accorgesse, un insegnante, la madre di qualche bambino, uno sconosciuto qualsiasi, e che questo potesse cambiare le cose, che mi avrebbero avvertito, così sarei corso a prenderti. Ma questo non è mai accaduto, per dieci lunghi anni io ho aspettato mentre tu crescevi, forse non eri la bambina più felice del mondo, ma sicuramente non vivevi in questo assordante silenzio.

«Francesco...» La voce di Enrica è arrivata a salvarmi dai miei pensieri. «Non lo so se fosse felice, non so nulla di lei e di quello che ha passato. So però che è stata strappata via da tutto quello che aveva per la seconda volta, e forse si aspetta solo che qualcuno le chieda scusa», mi ha detto poco prima di uscire, mentre la mia mente non ha potuto evitare di tornare a quei giorni. Quelli in cui voi eravate appena andate via.

Ero solo a casa. Nessuna notizia da giorni. Ingiustificati rimandi della partenza. Prenotazioni aeree che non venivano mai confermate. Poi il silenzio.
Spalancai l'armadio. Non c'era nemmeno bisogno di cercare tanto. Possibile che fossi stato così cieco? Non aveva voluto che vi accompagnassi all'aeroporto. Aveva preso il volo più scomodo per il mio lavoro perché non voleva che vedessi quanto erano pesanti le vostre valigie? Troppo per pochi giorni di vacanze estive. Mancavano i tuoi giocattoli preferiti, ma aveva lasciato tutti i vestiti che ormai non ti entravano più. Aveva preso il suo cappotto e i maglioni di cachemire e abbandonato l'abbigliamento per la palestra.

I cassetti mezzi vuoti, le grucce che oscillano quando apri le ante, i suoi CD. Ecco cosa significa la premeditazione.

Lei lo sapeva. Io no. Lei era già vicina al traguardo, mentre io attendevo il fischio d'inizio.

Aveva portato via una buona parte dei soldi che avevamo in banca e ti aveva iscritta in una nuova scuola mentre io smettevo di mangiare e mi aggiravo per casa come un pipistrello chiuso in una stanza. Andrea si trasferì a casa mia. Voleva aiutarmi a mantenermi lucido, mentre continuavo a rivivere il film infinito di quell'ultima cena insieme. Lei stava per andarsene per sempre e io non avevo notato nulla. Possibile che nessun dettaglio l'avesse tradita? Possibile che fosse riuscita a cucinare il solito pollo e a sostenere la solita conversazione? Voleva allontanarsi da me? O dal mio paese? Cosa c'era che non sapevo?

Continuavo a setacciare i fotogrammi, uno alla volta, a farmi domande prive di risposte e a cercare prove che puntualmente trovavo.

Angelika faceva la traduttrice per una piccola azienda che esportava vino. Le avevo trovato io quel lavoro e ora non mi sentivo di chiedere informazioni su mia moglie come se fossi uno sconosciuto.

Chiesi ad Andrea di telefonare.

«Vorrei parlare con Angelika.» Poi il suo sguardo da me al pavimento. «Ah! E quando la posso trovare? ...Grazie. È stata molto gentile. Arrivederci.»

«Si è licenziata un mese fa.»

No, non è possibile. Ha solo preso qualche giorno di ferie per andare a curare suo padre.

La vergogna è un sentimento strano. Forse uno dei peggiori. È un'emozione negativa che accompagna il tuo fallimento e non ti abbandona mai. In quei giorni, quando la lontananza si faceva sempre più concreta, quando tua madre non mi permetteva né di contattarti né di capire cosa stava per accadere, io mi trovai nel peggiore degli stati d'animo. Non sapevo dove foste e perché non desideraste tornare da me.

Perché prima della vergogna, Margherita, c'è sempre un abbandono.

Ero lì senza di voi. Ricordo di essermi chiuso in casa. Inventavo scuse per coprire lo strano comportamento di mia moglie. Iniziai a dire che le condizioni di suo padre erano peggiorate, così tanto che se fosse mancato sarei dovuto partire improvvisamente. Raccontai che ti eri presa una malattia esantematica e quindi non avresti potuto volare per diversi giorni, infine provai la risposta più dolorosa davanti allo specchio.

«Angelika e io abbiamo pensato che a Margherita farebbe bene passare più tempo in Danimarca, per imparare bene la lingua.» E se qualcuno avesse obiettato avrei aggiunto: «In fondo anche quello è il suo paese ed è giusto che lo conosca meglio!».

Poi squillò il telefono e la voce di mia madre mi prese alla gola come i tentacoli di una piovra.

«Cosa succede, Francesco? Sento che qualcosa non va.»

Il silenzio fu interrotto solo dai miei singhiozzi e dopo meno di venti minuti lei era davanti alla mia porta.

«Non torna.»

«Cosa?»

«Ha iscritto Margherita a scuola e per ora ha deciso di non rientrare.»

«Ma non può. Tu sei suo padre e noi i suoi nonni e Margherita è una bambina italiana. È sempre stata qui... lei non può portarla via così... non può portarla via così... Non può, capisci? Francesco, devi andarla a prendere, subito! Cristo santo, ma cosa succede?» Le sue parole mi rimbalzavano addosso senza ricevere nessuna risposta, più lei alzava la voce e mi chiedeva spiegazioni, più io ammutolivo e restavo inerme.

«Devi reagire, dannazione! Quella stronza non ha diritto di fare questo e io... io lo sapevo che...»

«Mamma, ti prego...»

«Non mi è mai piaciuta, ma non credevo arrivasse a tanto...»

La vergogna, l'imbarazzo di non essere all'altezza, di essere stato ingannato, di aver creduto nelle favole.

Poi ho ascoltato il mio dolore. Perché il dolore si ascolta, sai? Con le orecchie, con le mani e con il cuore. È come l'aria soffiata via, un luogo senza uscita, un bagno nelle sabbie mobili. È insopportabilmente lento.

Si resta in piedi, Margherita, anche se non l'avrei mai creduto. Ero lì nella nostra casa a tentare di spiegare il significato dell'assurdo, l'incredibile e la totale assenza di logica. Tu non c'eri più.

«Francesco, devi avvertire la polizia e un avvocato!»

Perché? È la donna che ho sposato. Finché morte non ci separi. Nella buona e nella cattiva sorte. Ho giurato di amarla e di proteggerla e l'aveva giurato anche lei.

L'ultimo ricordo che avevo di te era in piscina. Era un sabato mattina e volevo insegnarti a nuotare. Appena entrammo tu esclamasti: «Che puzza!». La signorina dietro il bancone si mise a ridere. «Ci si abitua. Ci si abitua a tutto!» rispose.

Non è vero, Margherita, non ci si abitua a tutto. Ci sono cose che non si possono accettare ed è per questo che impariamo a lottare.

A pochi passi dall'acqua ti bloccasti. «Non voglio.»

«Ma ci sono io. Non ti lascio sola!»
Perdonami se ti ho mentito.
«Vieni anche tu?»

Annuii ed entrai in acqua per primo, ti presi in braccio e ti lasciai immergere lentamente, sperando che ti abituassi alla differenza di temperatura senza odiarla per sempre.

«Brava la mia pesciolina!» esclamai mentre mi cingevi il collo con le tue piccole braccia.

«Ora chiudi la bocca e tieniti forte!»

«No, papà, no. Ho paura.» Eri terrorizzata.

«Sono qui, Marghe. E non lascerò che ti accada nulla!»
Perdonami se ti ho mentito.

«Devi stare dritta e buttare fuori l'aria dal naso. Come faccio io!» ti spiegai immergendomi fino agli occhi sotto il pelo dell'acqua, tenendo il tuo corpo in alto come se fosse un trofeo. Poi delicatamente ti lasciai andare. Ti vidi scendere e salire. Di nuovo, ancora sotto. Il mio cuore si fermò e ti afferrai con forza.

«Ci riesco, papà. Ce la faccio da sola!»
Ed era vero.

Non esistono né vincitori né vinti. Esistono solo quelli che ci arrivano prima e che magari lo fanno meglio. È la vita, non è una gara.

Fu Ingrid a insegnarmi a difendermi. Un giorno rientrai a casa tutta sporca di fango. Un paio di ragazzini più grandi avevano iniziato a girarmi intorno con i loro skateboard e a chiamarmi «l'italiana». Non mi era chiaro cosa ci fosse di male in quella parola, ma il tono con cui veniva pronunciata era pieno di disprezzo. Non risposi. Mi spintonarono strappandomi i libri dalle mani e io finii in una grossa pozzanghera. Mi venne da piangere perché quella sensazione di essere sola era più brutta del fango che avevo addosso. Mi alzai e corsi verso casa il più veloce possibile. Faceva freddo e ricordo che mai come allora avrei voluto essere trasparente.

A casa Ingrid mi fece il bagno, mi avvolse in un asciugamano caldo e mi tenne lì tra le sue braccia dondolandomi lentamente. Mi diede da mangiare e dopo aver sparecchiato mi portò in sala tenendomi per mano.

«Ora, signorina, impariamo a difenderci!»

«Come?»

«Primo: quando sei in pericolo devi metterti subito a urlare: "Al fuoco, al fuoco, correte!" perché se chiami aiuto nessuno si avvicina. Secondo: dobbiamo colorire un po' il tuo linguaggio, tua madre mi perdonerà!»

Non capii bene, ma qualcosa mi diceva che ci saremmo divertite. Fu così che imparai le parolacce in danese e la mamma non avrebbe mai dovuto saperlo.

Non le parlammo mai né delle parolacce né del fango.

Vivevamo in mezzo al nulla. Un'abitazione isolata in un posto isolato. Era la casa in cui mamma era cresciuta e dove aveva vissuto il nonno fino a quando ci eravamo trasferite. Faceva parte di un paese in cui si trovavano una farmacia, un piccolo supermercato e l'ufficio postale. Per la spesa importante e per i vestiti era necessario prendere la macchina o l'autobus che passava anche davanti alla mia scuola. C'era molto verde che diventava bianco nei mesi invernali. Ingrid abitava in una delle case del paese e veniva da noi quasi tutti i giorni nel pomeriggio quando io rientravo da scuola. Mamma lavorava a Viborg, una città a qualche chilometro di distanza, e spesso si recava fino a Copenaghen dove faceva la traduttrice per il tribunale. Anche Giuseppe, il mio primo papà in Danimarca, lavorava a Viborg. Diceva di occuparsi di spedizioni. Mandava pacchi in tutto il mondo e spesso tornava a casa chiedendomi se sapessi dove si trovavano Bristol, Malaga o Porto. Poi aprivamo l'atlante e ci mettevamo a cercarle.

Anch'io, come quei posti, ero abituata a essere lontana da tutto.

Ogni volta che Ingrid mi veniva a prendere dopo la lezione di violino, mi portava con l'autobus nel centro di Viborg a bere una cioccolata calda. Potevamo scegliere tra quattro bar ma, alla fine, andavamo sempre nello stesso. Il Café Safran. Un pub dove tutti si salutavano come se fossero vecchi amici e la porta d'ingresso si apriva facendo tintinnare delle campanelle che attiravano l'attenzione di chiunque si trovasse nel locale.

Le pareti erano colorate ed era pieno di oggetti di ogni tipo sparsi qua e là. C'erano il tavolo da biliardo, il calcetto, svariati giochi da tavola e un cartello: SIAMO APERTI FINO A MEZZANOTTE. Potevi ordinare la pizza e il pollo al curry anche quando arrivavi tardi. La cameriera era una ragazza carina di nome Ellen, anche lei cresciuta da Ingrid, e tutte le volte che ci vedeva mi ripeteva: «Ingrid è fantastica. Sei fortunata ad averla! Quando sarai grande ti mancherà!».

Forse era per questo che andavamo sempre al Café Safran, Ingrid aveva ancora nostalgia di lei.

Un giorno, sedute allo stesso tavolo, Ingrid mi raccontò di suo figlio Peter. La sua espressione si riempì di orgoglio e io rimasi incantata a guardarla. Me lo descrisse come un ragazzino troppo in gamba per rimanere lì. Peter aveva vinto una borsa di studio e si era trasferito negli Stati Uniti dove studiava matematica. Io sobbalzai sulla sedia perché le uniche cose che sapevo di quella materia non erano certo entusiasmanti e l'idea che qualcuno dovesse persino trasferirsi in un altro paese per fare conti dalla mattina alla sera mi fece venire i brividi, così infilai il naso nella mia tazza fumante di cioccolata bollente come se cercassi consolazione.

Ingrid era rimasta a guardare fuori dalla finestra con un'espressione malinconica.

«Ti manca tanto?» le chiesi.

«Sì, certo, mi manca da morire.»

«Allora perché l'hai lasciato andare via?»

Mi prese entrambe le mani e con la voce tremante disse: «Ogni genitore vorrebbe tenere sempre con sé i suoi figli, ma il più grande atto d'amore è quello di lasciarli andare e l'amore di un genitore non si fa intimorire neanche da migliaia di chilometri. Ricordatelo sempre!». Poi le sue mani strinsero forte le mie, come faceva sempre per farmi capire che quella era una cosa importante.

«Perché mio papà mi ha abbandonata?» Portai una mano alla bocca. Avevo già fatto quella domanda alla mamma e lei aveva avuto una strana reazione, ora temevo che Ingrid facesse lo stesso.

«Tesoro, ci sono cose che gli adulti decidono di fare e che sono molto difficili da comprendere. Un giorno l'amore che i tuoi genitori nutrono per te ti sarà chiaro e capirai da sola quali sono le tue origini e la tua strada. Quel giorno non è poi così lontano.»

Rimanemmo a lungo al pub quel pomeriggio. Lo sguardo di Ingrid continuava a rimbalzare dalla vetrata al suo cellulare. Sembrava che stessimo aspettando qualcuno. Poco dopo i suoi occhi si spalancarono come se avesse visto uno spettro. Lesse un messaggio sul telefono e alzandosi mi disse: «Torno subito, tu non ti muovere e tieni d'occhio la borsa!». Io guardai la grossa sacca blu che si era portata dietro. Era la stessa che utilizzava quando per qualche motivo mi dovevo fermare a dormire da lei. La cosa mi rallegrò perché io adoravo passare il tempo a casa sua.

Girando la testa verso la finestra vidi la mia baby-sitter parlare con un uomo che mi dava le spalle. Pensai che fosse un suo amico e tornai alla mia deliziosa cioccolata.

«Sorridi che ti faccio una foto!» Ellen si era avvicinata a me con una Polaroid in mano.

«Aspettiamo Ingrid!»

«Dopo ve ne faccio una insieme, ma ora guardami!»

Appoggiai il cucchiaio, mi pulii la bocca e la guardai.

«Ecco fatto!» disse Ellen sventolando la fotografia che mi aveva appena scattato. «Tieni, te la regalo!»

«Grazie!» Osservai la foto che si stava animando e me la misi in tasca.

«Chi era quel signore?» chiesi a Ingrid quando rientrò.

«Nessuno, tesoro. Prendi le tue cose, possiamo tornare a casa ora.»

Quello fu l'unico momento che ricordo in cui Ingrid non sembrava più lei. Era come se avesse perso tutte le sue sicurezze, la fiducia che le cose dovevano essere fatte in un certo modo e non in un altro. Mi ricordò la mamma, tanto che per un attimo temetti che l'avesse contagiata. Era nervosa, come se fosse sul punto di dirmi qualcosa di importante, ma avesse cambiato idea. Mi aiutò a mettere il cappotto, mi strinse la mano più forte del solito e mi portò verso l'uscita.

Passando accanto alla finestra, notai che la luce illuminava un cuore disegnato con le dita sul vetro.

«Guarda Ingrid!» dissi, e sciogliendomi da lei corsi vicino alla vetrata. «Questa è una M come Margherita!»

«Sì», rispose venendomi a prendere.

«E la F vicina?»

«Non lo so, tesoro. Saranno i nomi di due persone che si vogliono molto bene. Non credi?»

«Sicuro, altrimenti non lo scriverebbero dentro un cuore! Sarà qualcuno innamorato di me?»

Ingrid si avvicinò per sistemarmi i capelli e disse: «Un corteggiatore timido, ma che un giorno verrà a prenderti per portarti via con sé...».

«Come nelle favole!»

«Proprio così.»

Per alcuni è pura adesione, per altri è solo un impulso chimico, ma per tutti è vero solo se è disinteressato. È l'amore.

Una notte, nella mia nuova stanza italiana, non sono riuscita a prendere sonno. Continuavo a pensare alla storia di David. L'avevo letta su una rivista che avevo trovato in bagno. Era in inglese. Parlava di un ragazzino che aveva vissuto i suoi primi dodici anni di vita dentro una specie di pallone sterile perché affetto da una grave malattia che non gli permetteva di toccare nulla. Lo trovavo terribile, triste ma anche familiare.

Poi mi è venuta fame.

Non so che ora fosse quando mi sono alzata dal letto. La casa era immersa nel buio e sono rimasta qualche istante immobile per abituarmi all'oscurità. Sono andata in cucina in punta di piedi, ho aperto il frigorifero e il freddo mi ha toccato le ginocchia. C'era un pacchetto avvolto nella pellicola trasparente, della verdura e della frutta nei cassetti in basso. Il latte e le uova nello sportello. Ho avvertito un rumore e ho afferrato il cartone del latte e una scatola di biscotti che era sulla credenza. Sono tornata nella mia stanza facendo attenzione a non sbattere contro nulla. Ho spostato le coperte e mi sono seduta a gambe incrociate. Ho aperto il pacco di dolci e ho iniziato a divorarli. Ogni tanto mi si fermavano in gola e il latte mi aiutava a mandarli giù. Più mangiavo, più mi sentivo vuota. Cosa c'era che non andava in me? Perché avevo sempre tanta fame? Perché ero così sbagliata? Ma soprattutto perché mi sentivo così sola?

Mi sono toccata la pancia che si stava gonfiando e mi è venuta voglia di schiacciarla in dentro con entrambe le mani. Mi sono guardata intorno. Dove ero finita? Cosa ci facevo qua? Quanto sarei rimasta? Ho guardato la carta dei biscotti mentre volava a terra. Li avevo finiti. Ho provato disgusto per quel sapore dolciastro sulla lingua e per i pezzi di cioccolato fra i denti e per me. Mi sono alzata e sono andata in bagno. Era la prima porta accanto alla mia. Mi sentivo piena e sofferente. Continuavo a toccarmi la pancia e ho provato il desiderio di tagliarmela via. Ho tenuto i capelli con una mano e ho vomitato tutto nel gabinetto come se mi volessi ripulire. Poi il mio sguardo è caduto sull'immagine di quell'adolescente rinchiuso dentro la sua bolla sterile. Sudata fradicia sono scappata in camera e mi sono rifugiata sotto le coperte. Avevo gli occhi in fiamme e un sapore disgustoso in bocca. Ho pensato a Ingrid e alla filastrocca che mi recitava quando mi metteva a letto: «*Lille Peter Edderkop, kravled' op ad muren. Så kom regnen og skylled' Peter væk. Så kom solen og tørred' Peters krop. Lille Peter Edderkop kravled langsomt op*».

«Il piccolo ragnetto salì per la grondaia. Scese giù la pioggia e fuori lo buttò. Poi spuntò il sole, la pioggia si asciugò. E il piccolo ragnetto salì di nuovo su...»

Andare avanti. Ordinare le tue cose e dar loro un senso, una priorità. Affrontare un altro problema, passare a un altro livello. Accade tutto così finché non incontri quel qualcosa che non puoi proprio mettere a posto.

È arrivato settembre. Un mese strano. Un mese di inizi e di fine. Un mese di buoni propositi e conti da far tornare. Erano finite le ferie e anche le vacanze scolastiche. Enrica aveva ricominciato le lezioni all'università. Come ricercatrice in chimica affiancava un paio di docenti nella gestione dei laboratori per gli studenti e teneva le lezioni. Io e Andrea avevamo riaperto l'enoteca, dopo una pausa che mi ero concesso più lunga del solito solo per poter passeggiare con tranquillità davanti alla tua stanza chiusa. Ero diventato un campione nell'allungare una mano sulla maniglia senza girarla mai e passavo interi pomeriggi ad aspettare che la psicologa mi desse qualche segnale.

Il tuo rientro in Italia non era passato inosservato, almeno per l'ambiente giuridico che si era occupato del mio caso fino a quel momento.

Avevo avvertito il giudice, che a sua volta aveva allertato i servizi sociali affinché il tuo inserimento fosse tenuto sotto controllo.

Ero entrato in un ufficio e avevo chiesto di poter parlare con l'assistente sociale incaricata di seguire il tuo caso.

«Si accomodi qui», mi avevano detto mentre io mi chiedevo se il mio abito impeccabile avrebbe fatto la bella figura che speravo al posto mio, mentre non smettevo di desiderare di scappare da lì.

Poi una ragazza alta quasi quanto me è entrata tenendo in mano un fascicolo che doveva contenere la tua vita. E la mia. Non riuscivo a smettere di fissarlo.

«Si sente bene?»

«Sì, certo. È solo difficile pensare che stia tutto lì dentro, in pochi fogli.»

«Lo so, me lo dicono spesso», ha risposto, fredda come il paese da cui eri tornata.

«Sua figlia sarà domiciliata presso la sua abitazione. Sotto la nostra vigilanza.»

«Cosa vuol dire?»

«Che se tutto andrà bene non ha nulla di cui preoccuparsi. Parleremo con le insegnanti di sua figlia e con lei periodicamente. È la prassi. Le consiglio di contattare una psicologa specializzata in integrazione dei minori.»

Ho seguito alla lettera tutte le indicazioni. Ho contattato la psicologa che mi avevano consigliato. «La iscriva a scuola e la lasci fare i suoi passi. Ci vuole molta pazienza perché ogni volta che si è abituata a qualcosa le è stata strappata via con violenza.»

Hai iniziato la scuola. Abbiamo scelto il liceo linguistico. Sai l'inglese e l'italiano e la tua conoscenza del danese potrebbe esserti utile per il tedesco. Ho chiesto se esistesse un corso di danese, ma mi hanno guardato come se avessi chiesto se sapevano volare. Non so bene perché l'ho fatto, forse è ancora un problema di coscienza. Non voglio cancellare l'altra metà delle tue origini come ha fatto tua madre. Com'è difficile lottare con un avversario che non c'è più, soprattutto perché quando era in grado di lottare vinceva tutte le battaglie.

Una sera Enrica ha avuto un'idea. Si è alzata da tavola ed è sparita dalla cucina. La sentivo parlare in inglese. Tu eri seduta con lo sguardo fisso nel tuo piatto. Poco dopo è riapparsa e, tenendo il mio cellulare in mano, te lo ha allungato.

«C'è qualcuno che vuole parlare con te!» Hai alzato la testa a fatica, ci hai guardati con diffidenza e hai preso l'apparecchio, dicendo «Pronto?» in italiano. Qualche istante dopo tutte le emozioni si sono concentrate sul tuo volto mentre cercavi di spiegarti in danese, e la voce di Ingrid, rientrata dagli Stati Uniti, ti stava ridando l'anima. Ti sei alzata e sei corsa in camera. Io mi sono allontanato dal tavolo perché il suono della tua voce mi aveva turbato e non riuscivo più a stare seduto.

«Com'è possibile?» ho chiesto incredulo di fronte alla tua voglia di comunicare.

«Ingrid parla la lingua giusta, Francesco, quella del cuore, la stessa di Margherita.»

Da quel momento hai telefonato a Ingrid ogni volta che ne sentivi il bisogno. Mi faceva male non far parte di quel mondo, non comprenderne nemmeno un frammento. Trascorrevi le giornate in rigoroso silenzio, a leggere, a guardare la televisione e a suonare il violino. Non chiedevi nulla e ti limitavi a rispondere alle domande in modo educato e quasi sempre remissivo. Non protestavi mai, né per il cibo né per gli orari.

Ogni domenica andavamo a fare una gita in un posto diverso. Una città d'arte, un paesaggio montano o una passeggiata al mare. Qualsiasi cosa, pur di stimolare una curiosità, una domanda, una reazione.

Una di quelle sere, appena rientrati a casa, abbiamo trovato due grossi scatoloni davanti alla nostra porta. Erano le tue cose. Quelle della tua vita precedente. Enrica si è seduta per terra accanto a te. Teneva aperte le scatole mentre tu tiravi fuori vestiti, libri, pupazzi e fotografie. Vi ho guardate.

Sembravate le protagoniste di un film muto, riuscivate a comunicare senza parole.

La ricerca delle cose che consideravi solo tue mi ha fatto male.

Raccontavi la tua vita, Enrica provava a conoscerla. Poi il volto di Angelika – sorridente, in una posa presa di sfuggita, pensierosa, davanti a un boccale di birra, insieme a degli sconosciuti – ci ha tolto il respiro. L'hai coperta con le mani e mi hai guardato. Non so cosa ho pensato in quel momento, ma istintivamente mi sono avvicinato. La solita sensazione di sconfitta mi assaliva ogni volta che c'era di mezzo la mia ex moglie. Non potevo permetterle di avere la meglio. Ho allungato una mano sulla tua e con un sorriso ti ho detto: «Queste dovresti tenerle in camera, se vuoi le sistemiamo insieme». Ho avvertito le tue mani cedere sotto le mie e un flebile «grazie».

Se avessi potuto, avrei telefonato a mia madre. Mi mancava così tanto la possibilità di rifugiarmi da lei, di fare due chiacchiere davanti a un piatto di minestra fumante mentre mi raccontava buffi aneddoti della mia infanzia. Sapeva convincermi che le cose sarebbero cambiate. Il giorno in cui perse la sua battaglia mi portarono via una parte importante, quella che non puoi sostituire con nulla.

Era morta cinque anni prima di un male orrendo. Si era ammalata di un cancro ai polmoni. «L'unica parte del mio corpo che non avevo mai preso in considerazione!» mi ripeteva sempre, come se volesse spiegarmi che la vita è imprevedibile, ma poi non andava oltre perché sapeva che questo l'avevo imparato a mie spese.

Quando conobbi Angelika ero fidanzato con Lisa, una ragazza che frequentavo da quasi cinque anni, che dava del tu a mia mamma e passava la domenica a chiacchierare con lei in cucina mentre io non mi perdevo la partita. Liquidai Lisa con poche parole senza senso. Mi appellai a una finta crisi esistenziale e al desiderio di rimanere un po' da solo. Cercai di calmare il suo pianto disperato con ipocrite frasi espresse a metà, girando intorno al problema e negando la verità. Ci riuscii. Ricordo che la sera in cui la lasciai, tornando a casa, pensavo solo a come poter rivedere quella donna incantevole. L'altra.

Quando entrai in casa, mamma mi aspettava davanti alla porta. Compresi subito che sapeva già tutto. Litigammo furiosamente su cose che non riuscivo a capire. Si ostinava a ripetermi che non approvava il mio comportamento, che Lisa era una di famiglia e che lei si sentiva profondamente in colpa a causa mia. Mi sembrava una pazza. Così, in un momento di rabbia, non mantenni la parola data a me stesso e le raccontai tutti i dettagli sulla giovane straniera che mi era entrata violentemente nel cuore. Lo sguardo di mia madre cambiò e lei ammutolì come se non sapesse cosa dirmi, come se avesse compreso che quello che le stavo dicendo era vero.

Pochi giorni dopo entrò nella mia stanza. Pensai che avesse ancora voglia di litigare. Invece mi chiese di conoscere la mia nuova fidanzata, di invitarla a cena, perché continuare a parlarne come se lei fosse un virus letale non era corretto; per quanto non approvasse il mio comportamento con la povera Lisa, non avrebbe mai ostacolato la mia felicità. Lo devo ammettere: fui fiero di lei.

Le sorrisi e organizzai l'incontro. Ero felice. La vita mi sembrava facile. Vuoi qualcosa? Basta allungare una mano e la puoi avere. Peccato che poi il prezzo da pagare a volte si riveli altissimo.

Angelika non sostituì Lisa nel cuore di mamma, ma lei non lo diede mai a vedere. Sopportò senza lamentarsi i nostri ritardi perché la mia nuova fidanzata non concepiva l'idea di cenare con i miei almeno una volta alla settimana, il fatto che rimanesse seduta a tavola a parlare di sport con me e papà, lasciandola in cucina a lavare i piatti da sola, e che reggesse l'alcol meglio di un uomo, cosa che per mia madre era inconcepibile. Lo faceva per me, per quella sua idea di famiglia e per il suo sogno di diventare nonna.

Per me le cose erano diverse. Angelika era il mio ideale diventato realtà, quello che da ragazzino millanti per fare lo sbruffone con gli amici. Io sposerò una danese, alta, bionda e bella da togliere il fiato. Ero perso nei suoi occhi blu e in quei discorsi perentori tradotti da una lingua senza intercalari. Mi faceva ridere ed era perfetta. Fragile e spaventata come un animale che si ritrova lontano da casa. Credevo che avesse bisogno di me. Il tempo trascorso insieme era elettrizzante. Mi entusiasmavo anche se non facevamo nulla. Mi bastava saperla vicina, insegnarle la mia lingua, descriverle la storia del mio paese, farle assaggiare cibi per lei sconosciuti di cui storpiava il nome.

Un giorno lei sparì. Non rispose al telefono per diversi giorni e le sue coinquiline non ne sapevano nulla. In un attimo mi accorsi di conoscere di lei solo quello che mi aveva raccontato. Non avevo mai verificato nessuna informazione né conosciuto nessuno che appartenesse al suo passato.

Accorgersi di amare una persona più di quanto lei ami te, per questo si impazzisce.

Ero distrutto, non riuscivo a lavorare e vagavo per casa come un animale in gabbia cercando di dribblare tutte le perplessità di mia madre finché, dopo un'intera settimana di silenzio, lei mi telefonò.

La sua voce era tranquilla e serena.

«Mi vieni a prendere all'aeroporto?»

Mia madre cambiò espressione e io insieme a lei. So che non approvava il mio comportamento e forse in cuor suo aveva sperato che quella donna così diversa da tutto quello a cui eravamo abituati si fosse dissolta, come si dissolvono i brutti sogni al mattino quando riapriamo gli occhi.

«Le donne belle portano guai.»

Mi misi a ridere per il tono drammatico con cui si era espressa e l'abbracciai. Ormai sembrava tutto semplice, come se non fosse accaduto nulla. E mi precipitai da Angelika.

Che fai se l'unica cosa che desideri dalla vita è anche l'unica che potrebbe renderla invivibile?

Tutte le mattine l'accompagnavo al lavoro. Non amavo che si muovesse da sola, volevo proteggerla, custodirla. Le parlavo come non avevo mai fatto e disegnavo il nostro futuro come se fosse un gioco. Un giorno mi accorsi di desiderarlo davvero. Volevo che le nostre vite si unissero per sempre e decisi che l'avrei sposata.

Andai a comprare un anello. Un anello con tre piccole pietre verdi, tutto quello che mi potevo permettere, e corsi da lei. Andai a piedi perché non volevo che un qualsiasi intoppo, un incidente, un restringimento di corsia mi impedissero di fare ciò che avevo in testa. Iniziai a correre lungo il viale alberato che taglia la città, dribblavo le persone chiedendo di lasciarmi passare perché dovevo chiedere alla donna della mia vita di esserlo in eterno. Scivolavo tra la folla trascinandomi dietro auguri, congratulazioni e sguardi inteneriti. Non mi sono mai sentito tanto vivo e forte come quel giorno.

Sotto casa sua iniziai a chiamarla. Urlavo il suo nome guardando in alto. La sua finestra si aprì e la più moderna delle Giuliette comparve in T-shirt, bella da togliere il fiato.

«Cosa succede?»

«Ti amo!»

«Anch'io», rispose con tono esitante come se fosse ovvio.

Tirai fuori dalla tasca la piccola scatola e alzai la mano al cielo gridando: «Ti prego sposami o sono un uomo finito!».

Lei sorrise e corse giù per le scale fino a volare tra le mie braccia, fra gli applausi e le grida di incitamento di tutti i vicini e passanti.

Il mio progetto prevedeva di sposarci l'estate successiva. Angelika insistette per una data più prossima. Mi disse che non voleva aspettare, che desiderava vivere insieme a me, avere un posto tutto nostro. Le sue parole erano musica per le mie orecchie e contro ogni tradizione che prevede giornate afose, invitati sudati e balli sotto le stelle, decidemmo di sposarci il 3 dicembre, due mesi esatti dopo la mia proposta. Ci buttammo a capofitto nei preparativi. Fissammo la sala comunale, scegliemmo le bomboniere e una lista d'invitati composta quasi esclusivamente dai miei parenti e qualche amico. Non era la cerimonia a essere importante, per lei, ed era questo che mi piaceva da morire. La vedevo decisa e concreta, e l'idea di non dovere rispettare tutti quei rituali assurdi mi riempiva il cuore. Scegliemmo un ristorante che piaceva a entrambi e un menu semplice con una torta alla frutta confezionata dal miglior pasticcere della città. Andrea mi regalò le fedi, e io e mamma ci precipitammo ad acquistare un abito che mi facesse onore.

Quando uscii dal camerino con un completo grigio fumo di Londra cercando di non inciampare nell'orlo dei pantaloni, mamma rimase lì a guardarmi. Aprì le labbra ma non disse nulla, mentre due grosse lacrime le solcavano le guance. La presi tra le braccia e, aiutato dalla musica in sottofondo del negozio, improvvisai un giro di valzer. Al diavolo l'orlo dei pantaloni!

Quel giorno arrivò freddo e piovoso. Mamma era nervosa e si nascondeva dietro un fazzoletto di lino. Io avevo il cuore in gola e Andrea continuava a sistemarmi il bavero della giacca.

«Finché non ti vedo l'anello al dito, perdonami, ma io non ci credo che oggi ti sposi!» disse con il suo sorriso da ragazzino e la solita smorfia compagna di tutta la mia giovinezza.

Ero pronto.

Lo sguardo di mia madre rimase invariato per tutta la giornata. Cercava di sorridere per ingannare tutti e ci riuscì, tranne che con me.

«Perché non sei contenta?»

«Non è vero. Voglio che tu sia felice. Mi sembra che sia accaduto tutto così in fretta e ho solo paura che...» Poi si fermò. Non volle concludere la frase. Mi abbracciò sussurrandomi che Angelika era una donna straordinaria e che lei sarebbe stata sempre a disposizione per qualsiasi cosa avessimo avuto bisogno. La baciai sulla testa. La mia mamma era tornata.

Non pensai più a quel momento e tanto meno alla sua frase lasciata a metà il giorno delle mie nozze, perché la sera stessa partii per il viaggio più bello della mia vita e al nostro ritorno avevamo una famiglia da costruire.

Nei giorni in cui tu ti trovavi in Danimarca e il vostro rientro veniva continuamente rimandato, ripensai a quello che mia madre aveva tentato di dirmi poco prima che mi sposassi.

«Ho solo paura che...»

«Ora ho paura anch'io, mamma», dissi ad alta voce sperando di sbagliarmi. *Non sai quanto.*

Sempre quella domenica sera, dopo aver rivisto il volto di Angelika tra le cose di Margherita, ho aspettato che Enrica fosse andata a dormire e ho fatto qualcosa che non facevo già da tanto. Ho sfilato dalla libreria la Bibbia di mia mamma, la sua eredità più personale, e ho tirato fuori un foglio di carta che mio padre mi aveva dato il giorno del suo funerale. La lettera più bella che avessi mai letto, le sue ultime parole per me.

«Tua madre vuole che tu la legga ora», mi aveva detto durante la cerimonia, poco prima che alzassero la bara per portarla via.

«Ora?»

«Sì. Proprio ora!»

Così, tra quelle parole e le mie lacrime, non mi ero accorto che la sua bara non c'era più e se n'era andata via per sempre. Sapeva che quello sarebbe stato il momento più difficile, ed era riuscita a proteggermi come solo lei sapeva fare. Ora, a distanza di cinque anni, seduto in cucina con le sue parole tra le dita, le ho chiesto di non smettere. Di aiutarmi ancora. *Ancora una volta, mamma. Ti prego.*

Poco dopo, come se lei mi avesse ascoltato e inviato una buona idea, ho trovato il coraggio di entrare nella stanza di mia figlia. Era ancora intenta a sistemare le sue cose. Io, cercando di non inciamparci sopra, mi sono avvicinato a lei.

«Sei brava a suonare il violino. Potremmo informarci per farti prendere altre lezioni. Cosa ne pensi? C'è una scuola di musica non troppo lontano, se vuoi possiamo andare a chiedere. Ti piacerebbe?»

Si è illuminata.

Grazie, mamma.

Vittorio non vede le sue figlie dal 30 marzo 2008, da quando la madre – ora la sua ex moglie – le ha sottratte portandole con sé in Danimarca. Le autorità italiane hanno disposto il rientro con sentenze confermate fino all'ultimo grado. Le autorità civili danesi però non hanno mai cooperato nell'esecuzione di queste sentenze. Non solo le figlie continuano ad abitare con la madre, ma la stessa continua a impedire a Vittorio di incontrarle.

Il primo giorno di scuola è arrivato. Francesco ed Enrica mi hanno spiegato come funziona la scuola qui. Visto che parlo l'italiano perfettamente, hanno potuto iscrivermi in prima liceo invece di farmi perdere un anno «per continuità educativa» come aveva suggerito la preside. Francesco, forse per togliere tutti dall'imbarazzo, aveva commentato quella decisione dicendo: «Ai miei tempi un anno si perdeva facendo il militare!». Io e la preside l'abbiamo guardato contemporaneamente e forse anche lei, come me, ha pensato che a volte bisognerebbe semplicemente stare zitti. Ma Francesco è un tipo simpatico, uno a cui perdoni un sacco di cose, uno che piace alle donne, così la preside, un po' vigliacca, ha fatto finta di essere divertita dalla battutona.

Poco prima di uscire di casa, Enrica mi ha chiamata.
«Aspetta. Prendi questa!» mi ha detto allungandomi un foglio di carta ripiegato e che poteva appartenere alla preistoria tanto era rovinato.
«Cos'è?»
«La mia tavola periodica.»
"Questa è tutta scema", ho pensato.
«È il mio portafortuna. Ce l'ho da quando avevo la tua età e non me ne separo mai.»
«Si vede», ho risposto, creando una strana cappa di imbarazzo tra noi.

«Be', è un portafortuna. Vedi, qui gli elementi chimici sono messi in un ordine preciso in base alle loro proprietà. È
la stessa cosa che accade alle note musicali quando si forma
una scala cromatica. Solo che io non tengo in tasca nessuna
scala cromatica quindi ho pensato che... ma forse è un po'
presto per parlarne e chissà, magari tu non ne hai bisogno.»

«Grazie», le ho detto cercando di guardarla in faccia, perché tutto quel suo agitarsi per riuscire a dire qualcosa che at-
tirasse la mia attenzione mi sembrava bello.

Così ho sorriso e ho infilato tutti quegli elementi nella tasca dello zaino e prima di uscire dalla porta le ho chiesto:
«Secondo te sarà difficile?».

«La scuola? Non credo. Starnutire senza chiudere gli occhi è una cosa difficile!»

Mi è venuto da ridere. Era più forte di lei.

In ascensore ci ho provato. Non era difficile, era impossibile. Gliel'avrei dovuto dire.

La mia classe sembrava divisa in due macrogruppi. Da una
parte quelli che potevano essere appena sbarcati da una cro-
ciera, sorridenti e pettinati, e dall'altra quelli che sembravano appena atterrati dallo spazio, che entrano in classe ab-
bracciati, giurano di amarsi e naturalmente vogliono salvare il paese. Per rivolgersi ai primi era necessario prendere l'i-
niziativa, altrimenti loro non l'avrebbero mai fatto, dai secondi invece era necessario fuggire prima che il loro fare
amichevole si trasformasse in un vero terzo grado. Con i primi potevi organizzare un torneo di tennis in un circolo
esclusivo e studiare matematica, mentre con i secondi ti saresti trovato a occupare il suolo pubblico per protesta e a dis-
sertare di filosofia.

Le differenze c'erano anche nella mia vecchia scuola e ricordo che mamma mi ripeteva sempre di non fermarmi al-

le apparenze e di dare tempo alle persone di essere realmente sé stesse, solo così mi avrebbero stupita. Era carina quando si esprimeva con questi luoghi comuni, mi faceva tenerezza ascoltarla anche se non capivo perché lei non usasse le stesse regole.

Appena entrata in classe ho intuito che i miei compagni si conoscevano già, avevano frequentato quasi tutti la stessa scuola media. In qualche modo la cosa mi faceva piacere perché dovevo solo stare attenta a non mischiarmi con i più sfigati, quelli evitati da tutti che finiscono per fare comunella solo per ammortizzare gli attacchi dei più prepotenti. A Viborg eravamo in nove in classe. Mamma diceva che era fantastico perché non solo avrei imparato di più e gli insegnanti si sarebbero dedicati a noi senza distrazioni, ma anche perché sarei cresciuta con degli amici che sarebbero rimasti tali per sempre.

Mamma e il suo vizio di raccontare favole.

Non avevo loro notizie da quando mio padre mi era venuto a prendere. Non li avevo nemmeno salutati. Qualcuno lo ricordo al funerale, altri no, ma la cosa non mi stupiva, perché la mia unica vera amica era sempre stata Ingrid.

Il mio nuovo banco era il terzo vicino alla finestra. Il posto migliore, quello con l'optional dell'evasione incluso nel prezzo.

«Posso mettermi vicino a te?» Mi sono voltata e ho incrociato lo sguardo di un ragazzino biondo che si era già appropriato di metà del mio banco. Ho fatto un cenno con il capo e sono tornata a pensare ai fatti miei.

«Mi chiamo Mattia.»

«Margherita.»

Da quando il mio compagno si era seduto, sentivo uno strano disagio. Lui mi fissava come se mi conoscesse ma io ero sicura di non averlo mai visto prima. Ho girato la testa verso la finestra ma avvertivo i suoi occhi su di me. Ho sospirato sperando la finisse di osservare tutti i miei difetti.

Volevo solo scomparire. Non dovrebbe essere così difficile. Ci riescono un sacco di cose. Scompare il sole, la notte, l'acqua quando evapora, i vestiti quando chiudi l'armadio e qualsiasi cosa sia piccola abbastanza da passare attraverso lo scarico del lavandino. Quando mi sento così non va bene, è come se abitassi un corpo non mio e fossi costretta a stare in un luogo che non conosco. Non sarei mai riuscita a sparire, se lui avesse continuato a fissarmi.

Mi sono voltata di scatto e gli ho lanciato un'occhiata con l'idea di intimorirlo. Nulla, lui era ancora lì.

«Perché mi stai fissando?»

«Perché sei bella e le cose belle si devono guardare, ma non ti illudere: sono troppo giovane per una relazione seria!»

Non credevo alle mie orecchie. E questo da dove era venuto fuori? E proprio qui doveva sedersi?

«Perché fai quella faccia? Non te l'hanno mai detto che sei bella?»

«No, è che sei un tipo davvero buffo!»

«Be', entro Natale mi troverai irresistibilmente sexy, ma non ti preoccupare, è del tutto normale!»

Ha cambiato espressione e proprio davanti a me si è aperto uno dei più bei sorrisi che avessi mai visto prima.

Ho alzato la mano e ho chiesto all'insegnante di poter andare in bagno.

La tazza del gabinetto aveva il sedile alzato. Per non sporcarli, ho legato i capelli con un elastico che avevo infilato in tasca. Era tra le cose che Enrica mi aveva regalato pochi giorni dopo essere arrivata. Mi aveva accompagnata in un supermercato dicendomi di comprare tutto quello che credevo mi servisse.

«Non dimenticare gli elastici per i capelli. Io alla tua età ne perdevo in continuazione!» mi aveva detto.

Ho portato le dita in fondo alla gola. Ho sentito i denti sulla mia pelle. Poi la voglia di sputare e di tornare a respirare. Mi sono sciacquata la bocca e ho guardato la mia immagine nello specchio. Ero rossa con gli occhi lucidi ma stranamente quello che vedevo era carino, quindi non potevo essere io. Non sembravo una ragazza senza vita, una che doveva procurarsi il vomito per sentirsi viva, non sembravo una ragazza con una madre morta e un padre che la odia.

Mi sono sciolta i capelli. Ora ero perfetta per rientrare in classe.

La professoressa di italiano ci ha chiesto di presentarci, di raccontare qualcosa di noi ai nostri compagni. Quando ha fatto il mio nome mi sono venuti i brividi. Tutti si sono girati verso di me perché ero rimasta seduta. Mattia ha allungato una mano e ha detto: «Non dirmi che sto vicino alla più timida della classe. Pensa che progettavo di proporti come rappresentante degli studenti per rendermi la vita più facile».

Mi è venuto da ridere e mi sono alzata. «Sono Margherita e sono italiana, ma anche un po' danese e...» Ancora quegli sguardi su di me. «E... basta.» Mi sono riseduta, con gli occhi bassi.

Terminato il giro delle presentazioni, evidentemente non soddisfatta, l'insegnante ci ha chiesto di prendere un foglio e una penna. La guardavo mentre batteva il palmo sulla cattedra per ottenere un silenzio assoluto.

«Ora voglio vedere come scrivete. Togliete tutto dal banco e descrivetevi in trecento parole. Mi raccomando: non raccontatemi come siete fisicamente perché questo lo vedo da sola. Voglio fare la vostra conoscenza. Ora. Avete trenta minuti. Poi ritiro.»

Mi sono voltata verso il mio compagno di banco sperando di trovare un minimo di solidarietà ma lui era già chino sul suo foglio pronto a esprimere tutto il suo io.

Ma io chi diavolo ero?

Dovevo assolutamente farmi venire un'idea e la voglia di realizzarla. Consegnare in bianco sarebbe stata la mossa meno astuta per una che vuole passare inosservata.

Il tempo scorreva e se non avessi già vomitato avrei saputo cosa fare.

Mi chiamo Margherita e sono appena rientrata a vivere in Italia. Prima stavo in Danimarca con mia madre che però è morta, allora sono venuta qua per vivere con mio padre. Quello italiano.

Chi sono? Non lo so. O almeno per ora non ci capisco molto. Quello che so di certo è che mi piace suonare il violino. Ho imparato quando avevo otto anni perché nella scuola che frequentavo in Danimarca avevamo avuto la possibilità di provare a suonare diversi strumenti per un anno intero per poi sceglierne uno con cui continuare. Io avevo iniziato con il sassofono perché il suo suono mi piaceva da morire e mi faceva venire voglia di ballare e perché adoravo Lisa Simpson, ma dopo le prime lezioni mi sono accorta che mi mancava il fiato per eseguire la scala tutta di seguito e questo mi deprimeva. Così quando Ingrid mi raccontò la storia di Joshua Bell pensai subito che il violino sarebbe stato lo strumento giusto per me. La mia insegnante me ne ha prestato uno adatto alla lunghezza del mio braccio. Poco dopo mi ha parlato di «memoria muscolare»: l'abilità di un esecutore consiste nel trovare la posizione esatta delle proprie dita sulle corde per ottenere un suono pulito. Varia a seconda dell'esecutore, ed è per questo che, a seconda del suono prodotto, si parla di «talento», di «originalità», di «perfezione». Ho impiegato quasi due anni per capire cosa volesse dire, ma c'era qualcosa che mi faceva stare bene nel far scorrere l'archetto. Così appena mi appoggiavo alla mentoniera il mondo intorno spariva. È per questo che ho continuato, anche se all'inizio comprendere quale dito usare per comprimere bene una corda mi sembrava impossibile. Ora suono Beethoven e i vicini non si lamentano quasi mai. Quello che più mi piace del violino? Ha bisogno di cure costanti e mi chiede di non mollare mai. E poi la musica è fatta anche di silenzio e di vuoti. E io amo il silenzio.

Ci ero riuscita. Avevo raccontato di me senza parlarne. In questo assomiglio molto alla mamma.

Non ho consegnato subito il mio compito. Ero terrorizzata che l'insegnante lo leggesse prima degli altri e che mi facesse delle domande. Così ho guardato Mattia che era chino a riempire la terza pagina della sua vita.

Il mio sguardo deve averlo distratto perché si è voltato verso di me e ha detto: «Voglio fare lo scrittore da grande. Non possono chiedermi di limitarmi a trecento parole. Questo sono io».

Ho sospirato con un briciolo d'invidia.

Dopo aver ritirato i fogli, l'insegnante ha iniziato a fare alcune domande a caso, come se volesse testare un po' la nostra cultura generale. «Qualcuno sa dirmi a chi è stato assegnato l'ultimo premio Nobel per la letteratura? Chi ha scritto *Il ritratto di Dorian Gray*? E *I Malavoglia*? Quante province ha la Lombardia? Quanti deputati ha la Camera?»

Arabo. Per me quelle frasi non avevano quasi significato, mentre il mio compagno di banco annotava la risposta su un foglio molto prima che venisse pronunciata da un ragazzo o dalla professoressa. Mi guardava e faceva una smorfia come se ci fosse qualcosa da vergognarsi.

«Sei bravissimo.»

«No, è solo che mi piace leggere. È un vizio che non riesco a togliermi, ma ti prego di non raccontarlo in giro», ha detto sorridendo.

Ho annuito. Avrei voluto chiedergli cosa preferisse leggere, ma come primo giorno mi sembrava di aver parlato già abbastanza e così mi tenni la curiosità.

Poi ecco la campanella dell'intervallo, e tutti si sono messi a scartare le loro merende. Io ho guardato dentro la mia borsa e ci ho trovato un pacchetto con la torta di Enrica. Me l'aveva messa insieme a un succo di frutta. Ho guardato l'albero in giardino e ho sorriso.

«Sembra buona. Facciamo un mezzo cambio? Ti do un pezzo di focaccia.»

Da quel giorno i patti erano chiari, io portavo il dolce e Mattia il salato. A volte andare d'accordo viene naturale.

Al suono della campanella della fine delle lezioni sono scattata in piedi per uscire di corsa.

«Allora ti chiamo più tardi», ha detto Mattia.

«Ma non hai il mio numero.»

«Come no? E questo cos'è?» ha chiesto indicando una serie di cifre scritte sulla carta della focaccia.

«Ma non è così.» Ne ero certa perché Enrica me l'aveva fatto ripetere almeno cento volte affinché non me lo dimenticassi più, e, con immenso candore, l'ho recitato anche davanti al mio nuovo amico così come avevo fatto a casa.

«Lo sapevo che non vedevi l'ora di darmelo!» E con un sorrisetto da campione di scherzi si è girato e se n'è andato lasciandomi lì, allibita.

Linee di confine, di separazione o di contenimento. Superarle o rispettarle? Alzare barriere insuperabili o spalancare i cancelli? C'è sempre qualcosa che ci tiene lontano, che ci impedisce di arrivare dove vorremmo, ma spesso è anche ciò che ci salvaguarda e ci preserva dallo spingerci oltre, dall'essere troppo coinvolti.

Quando il giorno dopo la professoressa ha riconsegnato il compito, non mi aspettavo molto dal risultato del tema.

Conoscevo la lingua, sapevo raccontare, scherzare, comprendere le sfumature e intuire se qualcuno faceva dell'ironia; ma scrivere era diverso. Giuseppe, il mio primo padre in Danimarca, insisteva a parlare italiano in casa obbligando me e mamma a comunicare nella sua lingua, tranne quando lei voleva dirmi qualcosa che lui non doveva sentire. Di solito erano sorprese. Torte per il suo compleanno o piccoli regali che gli comprava e che nascondeva per casa. Quando c'era lui, mamma era sempre di buon umore e gli si rivolgeva in modo dolce e pacato. Non ho mai saputo perché lui decise di lasciarla. Lei non aveva fatto nulla per meritarlo. Un giorno avevano iniziato a litigare e poco dopo lui aveva fatto le valigie e se n'era andato. Mamma non si alzò dal letto per diversi giorni. Piangeva al buio e aveva un sussulto ogni volta che il telefono squillava. Pochi mesi dopo arrivò Hans che visse con noi un anno e parlava un danese strettissimo, non morbido come quello di mamma e Ingrid. Quando anche lui la lasciò, mamma non cadde in depressione come per Giuseppe, divenne solo un po' taciturna e niente di più. Rimanemmo sole per un altro anno, ma mamma sembrava un'anima in pena. Ingrid mi disse di non preoccuparmi, perché le donne come la mamma non restavano da sole a lungo. E così fu. Arrivò Friedrich, un tedesco che veniva spesso in Danimarca per lavoro. Era simpatico anche se, secondo me, tendeva a bere un po' troppo. Non si trasferì da noi come gli altri anche se credo che la mamma lo avrebbe desiderato. Non so, forse aveva paura di dormire da sola. Così tutte le domeniche sera, quando lui preparava i bagagli per partire, lei metteva uno strano broncio e parlava come una bambina piccola. Era fastidiosa.

Quando guardai il giudizio della professoressa, però, non trovai nulla sulle mie capacità linguistiche. Diceva: «Insufficiente. Sei andata fuori tema».

Mattia ha afferrato il mio foglio e ha iniziato a leggerlo. «Cosa? Tu suoni il violino?» ha strillato, attirando l'attenzione di tutti, prof compresa.

«Ho detto di fare silenzio!»

«Questo tema è geniale e questa ragazza è una vera artista. Non si merita un'insufficienza!»

Avrei voluto sparire, essere risucchiata nel nulla o rapita dagli alieni.

«È andata completamente fuori tema. Doveva parlare di sé e non di quello che le piace fare.»

«Ma prof, il suo compito non dovrebbe essere quello di stimolare le nostre capacità? Dovrebbe gioire che una sua alunna abbia una tale passione. Suonare il violino è roba difficile!»

Lascia stare, ti prego.

«Non contesto le passioni di Margherita, ma non è quello che avevo chiesto.» Il tono della professoressa si stava facendo sempre più gelido come se quella conversazione la stesse infastidendo.

«Dovresti guardare il tuo di compito invece di fare il difensore delle cause perse. Hai usato più di mille parole quindi è insufficiente anche il tuo.»

«Lei ci...» Ma la mia mano sul suo braccio, non so per quale motivo, lo ha spento prima che la prof perdesse definitivamente la pazienza. E mentre lei continuava la sua arringa sulla nostra ignoranza, i nostri sguardi si sono fusi insieme. In quel momento fui rapita davvero.

«È una stronza!»

«È un'insegnante!»

«Appunto! E tu dovresti ribellarti.»

Ribellarmi?

Ho ritratto la mano e mi sono voltata come se non avessi capito.

«Guarda che dico davvero. Tu sei un portento. Sai anche suonare il violino, capisci? E non passi tutto il tempo a guardarti allo specchio o ridacchiare come una stupida. Insomma, ma le vedi le altre? Dovresti alzarti e prenderle tutte a schiaffi!»

Perché mai dovrei guardarmi allo specchio io?

«Non mi sembra il caso», ho mormorato. «E smettila di sorridere.» Intanto le orecchie mi stavano per prendere fuoco. «Ti ho detto di smetterla.»

Questo è completamente pazzo, ma mi piace da morire.

Il palmo della mano della prof sulla cattedra e il suo sguardo minaccioso ci ha riportati sulla terra. Purtroppo.

Alla fine della mattinata, un attimo prima di uscire dall'aula, qualcosa mi ha trattenuta e non ho potuto fuggire via come al solito.

«Non ti illudere, biondina! Fa così con tutte!» mi ha detto Irene che era seduta nell'ultima fila. L'avevo notata perché era stata la più nominata dal corpo insegnante in quei due giorni.

«Cosa?»

«Lui è fatto così. Quindi non ti montare la testa, che a me non la dai a bere con la tua aria da angioletto!» ha aggiunto con il tono di chi sta sgridando una bambina.

Non capivo. Ma nello stesso istante in cui avrei voluto rispondere che non sapevo di cosa parlasse, lei ha continuato: «Guarda che parlo con te! Sei straniera o solo stupida?».

Un paio di ragazze comparse dal nulla hanno iniziato a sghignazzare e in pochi secondi sono svanite seguendo Irene come se fossero la sua scia.

A casa, qualche ora dopo, ci ho provato. Ho preso il violino e mi sono avvicinata allo specchio. Ho alzato la testa, ma non c'era nulla di magico in quello che vedevo. Ero sempre e solo io.

Vorremmo mollare tutto perché crediamo sia giusto, perché è inutile correre rischi. Molto meglio adagiarsi sul quieto vivere senza strappi, senza drammi. Ma ogni nostra ragione è solo una scusa. La verità è che abbiamo paura, perché se ci concedessimo una tregua e ci avvicinassimo alla felicità verremmo travolti da qualcosa di orribile, ingestibile e spaventoso.

Carola non vede suo figlio da due anni, da quando, in seguito a una vacanza in Romania per far visita alla famiglia del marito, ha accettato di rientrare prima per riprendere il lavoro, lasciando il figlio con il padre fino al termine delle vacanze. Solo al suo rientro in Italia Carola è venuta a conoscenza di aver firmato la rinuncia ad accudire il figlio. In realtà Carola non ha mai visto quel documento in vita sua. Nonostante l'inganno, il figlio non è mai rientrato in Italia.

Il secondo appuntamento con Enrica fu desiderato. Mentre la invitavo a cena mi chiedevo se forse sarebbe stato meglio lasciarla fuori dalla mia vita. Stranamente non mi chiese nulla, né di te né di tua madre, a differenza di tutte le altre donne che avevo incrociato e che non vedevano l'ora di scoprire quale fosse il problema per fornirmi la soluzione.

Una di loro una volta mi disse che aveva in programma una vacanza con le amiche a Copenaghen e che se avessi voluto sarebbe andata a casa della mia ex moglie per parlarle e chiarirle il mio punto di vista. Io le risposi che mi sembrava l'idea più brillante mai sentita. Le diedi l'indirizzo esatto e le fornii le indicazioni per arrivarci.

«A Copenaghen ti conviene affittare un'auto. Sono circa trecento chilometri e in treno dovresti fare almeno tre cambi. Ci metteresti troppo tempo. Con la macchina devi solo traghettare due volte. Credo che un giorno per andare e uno per tornare saranno sufficienti. A Viborg poi c'è una piccola pensione molto accogliente e potrete gustare delle aringhe affumicate deliziose. Sono molto più tranquillo sapendo che non vai da sola e che le tue amiche ti daranno il cambio. Sai, le strade possono essere molto isolate; ricordatevi di fare benzina in ogni stazione di servizio. Non si sa mai.»

Rimase a bocca aperta e fece per andarsene.

La fermai e le dissi: «Grazie. È bello poter contare su qualcuno».

Lei abbozzò un sorriso e sparì.

Da fuori le cose sembrano molto più semplici. È questa la differenza.

Per un attimo mi sorse il dubbio che a Enrica la mia storia non interessasse. Mi sorpresi quando mi chiese di me, dell'enoteca e della mia amicizia con Andrea. Mi raccontò del suo lavoro, il sogno di partecipare a un'importante ricerca internazionale, e della sua famiglia.

Mi domandai se l'idea che aveva della mia storia fosse distorta, se la stesse sottovalutando. Ero solo un separato come tanti? La fissai con sospetto. Avevo ricevuto una lettera da mia moglie in cui, oltre a chiedermi il divorzio, mi comunicava che mia figlia aveva finalmente trovato un padre su cui contare: ero sommerso dal disprezzo, dal fallimento e dallo sconforto. Perché non mi ero chiuso nel retrobottega con Andrea invece di stare qui a cercare di sostenere una conversazione normale?

Perché lei mi piaceva, ma io non ero un separato come tanti.

L'accompagnai a casa e inventai una scusa per andarmene. Decisi di non vederla mai più. Per il bene di tutti.

Così pensai di ricercare Lucrezia. Una donna molto più giovane di me, dolcissima e fragile. Si era appena laureata in medicina, con una marea di problemi alle spalle. Suo padre aveva abbandonato lei e la madre quando era molto piccola, lasciandole senza un soldo. La conoscevo da parecchio tempo e per lei la mia storia non era un segreto, come per tutti quelli che abitavano nella mia città. Ricordo che una sera mi sono accorto di alcune brutte cicatrici sui suoi polsi.

Per un attimo anch'io come lei avevo pensato che i nostri potessero essere dolori gemelli e che nessuno potesse comprendermi meglio. Ci siamo amati come voleva lei, poi sono andato via come desideravo io. Mi telefonò più volte. Non risposi. La familiare sensazione di fare male, a lei, a me o a chiunque avessi intorno, mi tormentava di continuo. Non potevo avvicinarmi a nessuno perché temevo di ferire tutti. È questa la fiducia, Marghe, quella cosa che costruisci in anni di volontà e distruggi in un secondo di distrazione o di egoismo.

Mi sedetti su una panchina di fronte al mare chiedendomi che ne sarebbe stato di te. Saresti diventata una donna fragile come Lucrezia? O forte come tua madre?

Ma nonostante tutti questi pensieri, nonostante tutte le paure, i dubbi e le tante delusioni, non riuscivo a togliermi dalla testa Enrica e così, qualche giorno dopo, la chiamai per chiedere se avesse voglia di bere un caffè. Era ciò di cui sentivo davvero bisogno, di tutto il resto potevo fare a meno.

Dopo tanto tempo Enrica era ancora qui davanti a me. Aveva resistito. Quando ho deciso di non averne paura, di fidarmi? In questa storia folle è riuscita a comunicare con te. Vorrei avere io quel dono naturale di mettere le persone a proprio agio, di guardarle per quello che sono e non per quello che gli è capitato. Lo ha fatto con me e lo fa con te. L'ho abbracciata. Avrei voluto abbracciare anche te.

Qualche giorno fa a scuola ci hanno chiesto di partecipare a una lezione tenuta da un paio di psicologi specializzati
in problemi adolescenziali. In classe si facevano scommesse
su quale sarebbe stato l'argomento: il sesso e gli anticonce-
zionali andavano per la maggiore.

«Secondo te di cosa si parlerà, Marghe?»

«Non lo so.»

«Secondo me di droghe e alcol.»

«Probabile.» Ho pensato che avrei pagato qualsiasi cifra
per sentire qualcosa che non sapessi già.

Ci siamo radunati in palestra.

«Oggi, ragazzi, parleremo di affetto. Chi sa che cos'è?»

Mi sono nascosta dietro la testa del compagno seduto davanti, ma per fortuna qualcuno di molto più coraggioso di
me ha risposto: «È un sentimento!».

«Molto bene! Qualcun altro vuole aggiungere qualcosa?»

«Riguarda i nostri genitori.»

«Non solo, chi altro?»

Non ho ascoltato il resto delle risposte perché qualcosa si
era messo a fischiare nelle mie orecchie e ho provato il desiderio irrefrenabile di correre in bagno. Ho chiesto all'insegnante di potermi alzare, ma lei mi ha ordinato di resistere fino alla fine del discorso.

Per fortuna quello è stato solo un pretesto per inoltrarsi

su un argomento molto meno imbarazzante. Almeno dal mio punto di vista. Fare sesso sicuro e le malattie sessualmente trasmissibili.

Ho tirato un sospiro di sollievo.

Poco dopo è stato distribuito un questionario al quale potevamo rispondere in forma anonima solo per testare il nostro livello di conoscenza.

Gli ho dato un'occhiata veloce, poi la mia vicina si è girata verso di me.

«La sai la cinque?»

I miei occhi sono scesi sulla domanda: sai qual è l'anticoncezionale più sicuro?

«Sì», ho detto. «Che nessuno desideri fare sesso con te!»

Lei ha scrollato la testa e ha sbirciato sul foglio del compagno alla sua destra.

«Ehi, secchiona, devi consegnare il foglio!» La voce di Mattia mi ha scosso dal mio torpore. Io gli ho allungato il test completamente in bianco.

«Non l'hai compilato? Non mi dirai che ti devo dare ripetizioni sull'argomento, spero! Perché sarai anche molto carina, ma io non sono fatto per le cose serie!»

Mi è venuto da ridere mentre lui scarabocchiava qualcosa al posto mio.

«E non ridere. Tra qualche anno mi correrai dietro e dato il mio indiscutibile fascino ti conviene tenerti allenata! Non vorrai farmi credere che mi piace una che non sa come nascono i bambini?» E facendo una smorfia ha consegnato i fogli alla cattedra.

«Ho solo quindici anni», ho balbettato, anche se il verbo «piace» mi stava rimbalzando dappertutto e il desiderio di scappare in bagno si era attenuato, così ho deciso di aspettarlo per tornare in classe. Lungo il corridoio ho incontrato Irene, appena uscita dai servizi. Il suo sguardo si è spostato da Mattia a me e se avessi dovuto descriverlo, be', lo avrei definito minaccioso. Pochi attimi dopo dalla stessa porta è sbucata un'altra ragazza della nostra classe di cui non ricordavo il nome. Una ragazza robusta e molto silenziosa. Una che come me non amava attirare l'attenzione. Aveva i capelli e lo zaino bagnati.

Ero intenta a osservarla mentre si muoveva lungo il muro verso la nostra classe quando ho inciampato in qualcosa, e sono caduta faccia a terra. La risata di Irene riecheggiava lungo il corridoio mentre io tentavo di rimettermi in piedi, incredula e imbarazzata.

Ho deciso di non farci troppo caso e soprattutto di non dare peso allo strano comportamento di Irene, ma non riuscivo a togliere gli occhi di dosso alla ragazza del bagno con i suoi capelli ancora umidi. Così appena la campanella ha suonato mi sono avvicinata al suo banco e le ho chiesto se andasse tutto bene. Lei mi ha guardata e ha sussurrato a denti stretti, come se non volesse essere sentita: «Lasciami stare o se la prenderanno anche con te». Poi ha afferrato le sue cose ed è scappata via.

Ho raggiunto Mattia che mi aspettava sulla porta dell'aula con la certezza di non essere la sola persona strana al mondo. Appena fuori da scuola c'era l'auto di mio padre. Mi sono allontanata da Mattia salutandolo in modo sbrigativo, mi sono infilata le cuffiette, ho acceso il mio iPod e sono salita.

«Chi era quel tipo?»

«Nessuno», ho risposto avvertendo il suo imbarazzo. Mi ha guardata e con un tono leggero e confidenziale ha continuato: «Ti porto a pranzo fuori. Ti va?».

Io ho annuito.

«Cosa vorresti mangiare?»

«È lo stesso.»

«Ti piace il pesce?»

Accadeva di nuovo. Tutte le volte che cambiavo padre dovevo rifare l'aggiornamento dei miei gusti. Se mamma avesse compilato un file, come quello stupido test, e ne avesse stampato delle copie, mi avrebbe fatto davvero un grande favore. Il pensiero della mamma però mi ha colpito allo stomaco e per un attimo il pensiero che non l'avrei mai più rivista mi ha frantumata in mille pezzi.

«No, scusa... Possiamo tornare a casa? Ho molti compiti da fare per domani», ho detto senza guardarlo in faccia.

Lui ha esitato. Mi ha fissata sperando forse che io aggiungessi qualcosa, poi ha avviato il motore e in silenzio mi ha riportato a casa.

Il tempo passava e il mio rapporto con Margherita si era adagiato su un andante freddino. Aveva iniziato la scuola e ogni tanto sembrava piacerle. Io andavo tutte le settimane a parlare con la preside e i suoi insegnanti. Non accadeva nulla. Nessuna sbavatura.

«Margherita si impegna abbastanza anche se i suoi voti non sono dei migliori e potrebbe fare di più ma, vista la situazione, come inizio mi sembra discreto. Io non mi preoccuperei troppo. Basta tenerla d'occhio e aspettare i progressi. Arriveranno.»

Le parole della preside sono rimaste congelate tra me e lei.

Inizio discreto? Potrebbe fare di più?

«Credo che mia figlia stia facendo anche troppo», ho risposto alzandomi.

Avevi attraversato l'inferno, eppure riuscivi a non perdere il controllo, ad andare bene a scuola e a rispondere educatamente a una sconosciuta che provava a farti da madre. Possibile che non avvertissi mai il desiderio di spaccare tutto? Di urlarci in faccia la tua rabbia? Che guardassi le foto di tua madre appese nella tua stanza con la stessa naturalezza con cui avresti osservato un paesaggio qualsiasi?

Non riuscivo a non chiedermi quando saresti esplosa. Ero preoccupato e temevo quel momento. Ho pensato a Ingrid e a cosa avrebbe fatto al mio posto, a tutti i consigli della psicologa a cui mi ero affidato. Dovevo coinvolgerti il più possibile nelle piccole faccende quotidiane, lasciare che a scuola non ti sentissi sotto esame e chiedere sempre la tua opinione.

Lo facevo, Margherita. Ti ho chiesto persino cosa ne pensassi della psicologa e tu mi hai risposto che era okay.

Era sempre così: tu non mi parlavi, tu mi rispondevi.

La verità è che avevo paura che fosse tardi, che non avrei mai conosciuto la tua rabbia, che non ci sarebbe stata l'occasione di rimediare al male che avevi subito e che forse non saresti mai riuscita ad amare e lottare per qualcosa fino a sentirti attorcigliare le viscere. Non era questo che volevo per te.

La prima volta che ti rividi dopo che tua madre ti aveva portato via, avevo affrontato un viaggio lungo un giorno intero. Ero arrivato in ritardo all'appuntamento con i servizi sociali perché avevo sbagliato strada. Sapevo che era stato un errore prenotare il volo successivo perché più economico. Avevo rischiato e avevo imparato che ogni mio comportamento, ogni mia mossa erano sempre sotto la lente d'ingrandimento, che cinque minuti di ritardo si sarebbero trasformati in «incapacità di mantenere un impegno», che ogni mia obiezione era pronta a diventare «un atteggiamento aggressivo e d'intralcio» e il mio desiderio di stare solo con te non era altro che «un tentativo di plagiarti». Non potevo correre rischi, anche se spesso neanche li conoscevo.

Quei dieci minuti furono annotati sulla mia scheda e da quel momento io sarei stato per sempre «in ritardo». Ogni volta che mi sedevo davanti a loro la prima esclamazione sarebbe stata: «Arrivato in orario oggi, bene!». Poco importava se, dopo quella volta, ero sempre stato puntuale.

Cercavo di arrivare in anticipo ma non cambiava nulla,

non potevo stare con te un po' di più. Non era spazio per noi quello, per giocare, fare una passeggiata o raccontarti una favola. Quello era tempo loro, per esprimere le loro opinioni e tirare conclusioni univoche e sempre uguali. Tu stavi bene lì com'eri, senza padre e nessun legame con ciò che era la tua patria, la tua storia e chi ti voleva bene. Senza un pezzo di te, ma non importava perché evidentemente lassù nessuno se ne era accorto.

Quel giorno non ti vedevo da più di sei mesi. Mi ero rivolto all'Autorità centrale convenzionale presso il dipartimento per la Giustizia minorile per richiedere il tuo rientro. Avevo compilato diversi moduli e fornito tutte le nostre generalità, poi la cosa più difficile. Aspettare. Mi sconsigliarono qualsiasi iniziativa personale.

«Non faccia come quello della televisione!» mi disse un funzionario. Quello della televisione? Mi chiesi chi mai potesse finire sul piccolo schermo solo per essersi separato. Mi documentai e mi fece molto male. Dalle fotografie sembrava avere più o meno la mia età. Dopo la separazione la moglie danese aveva portato la loro piccola nel suo paese a trovare i nonni, decidendo di tagliare ogni rapporto con il padre: lo aveva accusato di violenze psicologiche chiedendo alle autorità l'affido esclusivo. Il padre, dopo aver dimostrato l'infondatezza delle accuse subite, aveva ottenuto solo dopo diversi anni l'affido congiunto, che però non era mai stato messo in atto dalle autorità locali danesi. Quell'uomo aveva attraversato tutta l'Europa in auto, aveva atteso fuori dalla scuola che sua figlia terminasse le lezioni e l'aveva fatta salire in macchina. La polizia lo aveva bloccato al confine con la Germania, e prima che la bambina venisse riportata indietro era stato picchiato davanti a sua figlia.

Deglutii e fu come se fossi stato picchiato anch'io.

Quell'uomo avrei potuto essere io.

Per questo quando ti rividi, Margherita, ero terrorizzato.

Nella stanza c'erano due assistenti sociali. Tu mi salutasti appena e avevi la stessa espressione vuota che hai ora quando ti incrocio nel corridoio o ti vengo a prendere a scuola, lo sguardo di chi ha finito la sua infanzia. Ti portarono in una stanza insieme a una signora con lo scopo di capire i tuoi sentimenti mentre io domandavo: «Perché, Angelika? Cosa vuoi fare?».

«Penso solo al suo bene e farò tutto il necessario per darle una vita felice.»

«Ti sembra felice Margherita?»

«Lo era. Evidentemente vederti non le ha fatto piacere.»

Per ottenere un grande dolore bisogna iniziare con un piccolo male.

«Sono suo padre.»

«E io sua madre.» Ed era come avere un full quando il tuo avversario tiene in mano un poker d'assi.

Perdonami, Margherita. Non ero preparato. Ho sempre creduto che il mio compito sarebbe stato difficile, ma non così. Potevo spiegarti la matematica, insegnarti a saltare la corda e andare in bicicletta, magari mi sarei annoiato ai tuoi saggi di danza e ti avrei sgridato se non avessi rispettato gli orari o avessi iniziato a fumare.

Credevo che mi sarei limitato a spiegarti cos'è l'amore anche quando tutto ti fosse sembrato impossibile, e che le persone migliori al mondo spesso possono fare molto male, o sbagliare, ma questo non le rende peggiori di noi; che mi sarei seduto in prima fila il giorno della tua laurea e che, tra milioni di giovani donne, tu mi saresti sembrata la più bella e che magari un giorno ti avrei accompagnato all'altare e avrei fatto tutte quelle stupide raccomandazioni che fanno i padri a un ragazzo con gli occhi terrorizzati ma pieni di te. Ti avrei spiegato il significato del fallimento, della perdita e della resa, ma avrei condiviso ogni tuo successo, ogni tua scelta e ogni tua vittoria.

Credevo che ti avrei presa in giro per quanto assomigliavi a tua madre e che sarei invecchiato insieme a lei perché tu ce l'avresti fatta a tenerci insieme.

Come sembrano banali ora tutti questi pensieri e come sanno fare male se li allinei uno dietro l'altro.

Quella sera non mi permisero di trascorrere un po' di tempo solo con te. Ti portarono via subito e io passai la notte in una piccola pensione perché ero troppo stanco per affrontare il viaggio. Avevo la morte nel cuore. Mi sentivo solo e mi chiedevo se tu vivessi le stesse sensazioni. Chiesi a Dio che non fosse così, poi ti telefonai.

«Margherita sta dormendo. Richiama un'altra volta!»

Pregai Dio per molte altre cose quella notte.

La mattina seguente mi appostai davanti alla tua scuola. Ero nascosto dietro un muro come avrebbe fatto un sequestratore o un ladro. Aspettai che arrivasse lo scuolabus. Tu eri in mezzo a un gruppetto di ragazzini. Non riuscivo a distinguerti finché non ti allontanasti dagli altri, troppo intenti a giocare tra loro. Eri lì sola, nel mezzo della confusione, che stringevi le cinghie della tua cartella e ti dirigevi a testa bassa verso l'entrata. Sperai che la tua vita non fosse sempre così. Non era quello che avevo sognato per te, tesoro mio. Se l'avessi saputo non l'avrei mai permesso. Ma per quanto mi ostini a ripetermi che non avrei mai potuto prevedere una cosa simile, una parte di me continua a sentirsi in colpa.

Tornai in Italia accompagnato dalla rabbia e dallo sconforto, una miscela micidiale che ho imparato a domare.

Per me.

Per te.

Il tempo passa, trascorre e vola via. Dicono che guarisca tutte le ferite e non guardi in faccia nessuno. Quando sei in preda all'an-

sia lo vorresti accelerare e quando devi fare una scelta ti piacerebbe poterlo congelare. Scandisce ogni momento della tua vita tranne uno, quello più doloroso, perché la sofferenza, quella vera, sa farti perdere ogni cognizione. Così farsi una doccia, cucinare una cena o attraversare la città possono durare indifferentemente un minuto, un'ora o un anno intero.

Angelo, guardia giurata, è stato denunciato dalla moglie per abusi sessuali sulla figlia due giorni prima che la donna si trasferisse in Romania, suo paese natale. Il giudice ha sospeso immediatamente la responsabilità genitoriale e ritirato il porto d'armi all'uomo, in attesa di accertamenti. Le accuse si sono dimostrate infondate, ma ormai Angelo è senza figlia e senza lavoro.

Non era una cattiva idea portarti a pranzo vicino al mare. Se fossi stata una donna avrei messo in scena il migliore dei corteggiamenti, ma tu eri mia figlia, la mia figlia estranea, e io mi sentivo goffo e stupido.

Stavi chiacchierando con un ragazzino biondo. Ti ho vista subito. Ridevate, e il cuore mi si è gonfiato di un sentimento lontano, quella gioia che non ricordavo. La gioia del primo bacio, della pioggia mentre fai l'amore, dell'attesa di una telefonata importante, dello sguardo di mia nonna quando la andavo a trovare. Mi sono toccato il petto e ho controllato il respiro perché mi è venuto da piangere. Eri così grande, così bella, e ti stavi avvicinando. Poi mi hai visto e la musica si è interrotta di colpo, la tua espressione è cambiata. Hai infilato le cuffiette nelle orecchie e hai abbassato la testa, come facevi sempre per guardare dove mettevi i piedi perché troppe volte ti avevano fatta cadere.

Ho preso fiato e con quella voce finta e imbarazzata ci ho provato. Tu hai esitato, hai preso tempo, dovevi organizzare la tua difesa e ci sei riuscita. Avrei voluto dirti di fidarti, per una volta, una sola, di avvicinarti e di lasciarmi fare, ma non ne ho avuto il coraggio. Ho paura, Margherita, molta più di te, perché la tua vita sarà difficile ma è tutta davanti, la mia ha già avuto le sue risposte, quelle che non vorrei mai capitassero a te.

100

A casa, Enrica era appena rientrata. Da quando c'eri tu tornava spesso per il pranzo.

«Non siete andati a mangiare fuori?»

«No, ho un mare di compiti da fare...» le hai risposto.

Lei si è trattenuta perché da buona scienziata avrebbe potuto calcolarti a mente l'algoritmo del tempo che avresti perso e sovrapporlo a quello che hai risparmiato stando a casa, e farti notare che la differenza non ti sarebbe bastata per risolvere neppure una sola equazione. Ma non l'ha fatto. Ti ha sorriso e, raccontandoti che in Cina esiste una specie di pesce rosso che può vivere fino a centoquarant'anni, ha messo a bollire la pentola per una pasta veloce.

Mi sono sentito sconfitto e inutile e, mentre vi sentivo chiacchierare in cucina, avrei voluto spaccare tutto. Mi sono chiesto se dipendesse da me, se fossi io il problema, e cosa avesse compreso Enrica per riuscire a comunicare con te e che io non riuscivo a scovare.

«Vado a fare una nuotata», vi ho detto cercando di sembrare normale.

Enrica ha cambiato espressione, ha mosso la testa per farmi sapere che aveva capito e che ci pensava lei a tamponare lo strappo, mentre a me non rimaneva altro da fare che fendere l'acqua con forti bracciate in quella piscina dove l'odore pungente del cloro era tutto quello che avevo di te.

Il primo avvocato danese che seguì la mia pratica mi consigliò di trasferirmi, di farmi una vita in Danimarca, di trovarmi una compagna e magari avere un altro figlio. Mi stava chiedendo di dimostrare che ero capace di mettere su una famiglia per averti in cambio? Dovevo essere un nuovo marito, un nuovo cittadino e magari anche un nuovo padre per assicurarmi la tua educazione? E se non ne fossi stato capace? Avrei distrutto io la vita di qualcun altro, un'altra donna o un altro figlio? Mi sembrava di avere sete e non riuscire a trovare l'acqua. L'acqua, Margherita, non è un bene primario?

Non so cosa mi abbia trattenuto dal fare tutto quello che mi stavano chiedendo, forse mi è mancato il coraggio di buttare via la mia attività, i miei colori e quel poco che restava della mia vita. Mi sentivo male e in colpa perché eri lontana, ma anche perché non avevo abbastanza forza per rinunciare a quel briciolo di solidità che mi ero costruito. Qualcosa mi diceva che non era quella la strada, che anche se avessi obbedito e mi fossi trasferito non saremmo stati più vicini.

I sentimenti non si comprano né si stimano come una casa o un terreno. Questo errore lo aveva già fatto tua madre, non sarei caduto nello stesso tranello. Fu così che venni a contatto con altri miei simili, come un animale in cattività che cerca le sue origini. Incontrai un gruppo di persone accomunate dallo stesso incredibile destino. I loro figli erano stati sottratti, esattamente come era successo a me. Si riunivano ogni tre mesi per raccontare le loro storie, accogliere i nuovi adepti, festeggiare quei pochissimi che ogni tanto ottenevano piccole vittorie, parlare della legge, coinvolgere avvocati e giornalisti. Era il mio mondo, parlavano la mia lingua, toccavano il mio dolore.

Marco, Lucia, Giovanni, Simone, Giorgio, Sandro, Alberto, Filippo, Vincenzo, Teresa, Bruno, Armando, Michele, Arturo, Aldo, Giacomo, Anna, Guido, Antonio, Silvio, Libero, Giuseppe, Salvatore, Maria, Paolo, Piero, Pietro, Angela, Attilio, Claudio, Matteo, Cesare, Cristiano, Davide, Dante, Enrico, Damiano, Domenico, Antonella, Fabrizio, Eugenio, Emanuele, Fernando, Gaetano, Giancarlo, Corrado, Milena, Gregorio, Italo, Luca, Agnese, Ivano, Ludovico, Simona, Maurizio, Leonardo, Mauro, Massimo, Carlo, Ottavio, Roberto, Nicola, Paride, Emanuela, Rocco, Gianluca, Rodolfo,

Lorenzo, Rita, Ettore, Raimondo, Claudia, Sergio, Vittorio, Umberto, Diego, Ivana, Daniele, Gerardo, Achille, Angelo, Amedeo e Michela.

Ingegnere, idraulico, commessa, panettiere, infermiere, ricercatore, architetto, pizzaiolo, impiegato, tassista, cameriere, medico, direttore, commerciante, agente, segretaria, rappresentante, avvocato, spedizioniere, bidello, insegnante, ottico, albergatore, barbiere, ostetrica, antiquario, benzinaio, carabiniere, cuoco, poliziotto, dentista, edicolante, falegname, infermiera, decoratore, fotografo, farmacista, geometra, guardia, ginecologa, lattaio, macchinista, operaio, notaio, macellaio, manager, orafo, parrucchiere, perito, assicuratore, saldatore, sommelier, tabaccaio, sarto, ufficiale, vetrinista, stilista, verniciatore, ufficiale, uomo, donna, padre e madre.

Persone come tante. Ma la storia che raccontiamo non riguarda solo noi. È la storia di qualcuno che aspetta qualcun altro che non torna mai. La storia di un'attesa e di persone che si incontrano nel frattempo. Noi.

Eravamo tutti uguali e sapevamo bene come ci si sente, quando inizia un nuovo giorno e si aspetta qualcuno che non arriva. Sì, sapevamo bene come ci si sente. Tutti abbiamo bisogno di condividere qualcosa con gli altri: un lavoro, una cena, un interesse. Ma anche l'attesa. L'attesa che qualcosa cambi e che arrivi almeno la giustizia. Ma spesso diventa difficile e dopo un po' osservi la tua vita andare avanti senza di te.

Nessuno commetterebbe il più grande errore della sua vita se sapesse la catastrofe che ne segue.

Ma tu non sei un errore, Margherita, e lo dimostrerò, dovessi metterci tutto il tempo che mi resta.

Enrica iniziava a piacermi. Era dolce e non sembrava allineata con tutto il resto.

Ogni tanto a tavola faceva battute tipo: «Sai cosa dice un alcol quando incontra sulla sua strada un acido? Sono esterrefatto!». E poi rideva a crepapelle, mentre io e papà ci guardavamo increduli. Poi passava tutta la serata a provare a spiegarci perché quella fosse secondo lei una delle battute migliori al mondo.

«Vedi, quando un acido viene fatto reagire in eccesso di alcol e in presenza di un catalizzatore anch'esso acido, si ha una reazione che si chiama esterificazione. Hai capito? Esterificazione, esterrefatto. Esattamente come diciamo quando si resta senza parole! Così quando l'alcol incontra un acido...»

«Sì, ho capito! Una delle cose più divertenti che abbia mai sentito!» L'ho fermata, cercando di improvvisare una risata.

Spesso mi raccontava anche del suo lavoro, promettendomi che mi avrebbe portata a visitare il suo laboratorio.

Così quel giorno, dopo che ero rientrata da scuola e papà era scappato in piscina, mi ha detto che, se mi faceva piacere, potevo andare con lei al lavoro proprio nel pomeriggio. «Andiamo in laboratorio, così, quando a scuola inizierai a studiare chimica, ti sarà utile!»

Avrei potuto fare tutti i miei compiti nel suo ufficio, in

fondo era meglio che rimanere da sola e, tornando a casa, avremmo potuto andare a fare la spesa insieme.

Ho accettato perché il suo modo di propormi le cose aveva sempre qualcosa di rassicurante e fare la spesa mi aveva sempre divertita. Mi ricordava Ingrid. Andavamo insieme. Lei leggeva la lista di prodotti che mamma le lasciava e io correvo tra gli scaffali alla loro ricerca. Ingrid contava, e se ne recuperavo più di sei in meno di un minuto mi comprava una tavoletta di cioccolato. Una volta inciampai e feci rotolare a terra una pila di bottiglie di passata. Il rumore assordante bloccò tutti nella mia direzione come se fossi saltata in aria. Mi sentii morire mentre le commesse si avvicinavano di corsa. Ingrid mi aiutò ad alzarmi, pagò quelle che avevo rotto e mentre camminavamo verso casa scoppiò a ridere. Rideva stringendomi la mano e la mia tensione si sciolse.

«Sai di pizza, mio piccolo disastro», mi diceva. Disastro o no ero sua davvero. Ora mi mancava molto.

«Ecco, questo è il laboratorio in cui lavoro», ha detto Enrica appena siamo entrate in una specie di stanza gigantesca piena di banchi, grosse macchine e oggetti di vetro.

Un paio di ragazzi avvolti in un camice bianco si sono girati per salutarci.

«Ragazzi, questa è Margherita, una violinista. Quindi potete farle tutte le domande che volete!»

Io mi sono irrigidita. «E cosa dovrebbero chiedere?»

«Tutti gli scienziati sono affascinati dalla musica.»

Ecco, adesso ricomincia.

«Proprio tutti?» ho mormorato sperando che non fosse vero.

«Credo di sì.» Sorrise. «Deve essere colpa di quella teoria secondo la quale alcune melodie stimolano le stesse parti del cervello attivate da emozioni piacevoli come l'amore. Appena le note toccano la nostra mente, una cascata di sostanze si sprigiona con il preciso intento di farci stare bene.»

«Davvero?»

«Sì, è come se tu, quando suoni il violino, fossi una dispensatrice di amore! Una specie di dea!»

«Vuoi dire che al nostro cervello piace la musica?»

«Proprio così!»

«Be', bastava chiederlo a me!»

«Posso telefonare a Ingrid dal tuo ufficio?» ho chiesto a Enrica.

«Certo, devi solo fare il nove prima del numero. Ti lascio un po' da sola. Mi trovi di là.»

Sì, Enrica mi piaceva.

Ho composto il numero di Ingrid e lei mi ha risposto subito. Sapevo di trovarla in casa a quell'ora. La sua voce mi ha messa di buon umore.

«Come ti trovi lì?»

«Mi sono fatta un amico a scuola», ho risposto sperando che mi facesse una domanda più facile.

«Bene, e come si chiama?»

«Mattia. È figlio di un ufficiale e cambia spesso città. Il più delle volte non riesce nemmeno a finire l'anno nella stessa scuola.»

«Oh mio Dio!» ha esclamato Ingrid a centinaia di chilometri da me. «Poverino. Sarà un ragazzo tristissimo! Non riuscirà a farsi degli amici con una vita così nomade», ha aggiunto.

Mattia triste? Non me ne ero mai accorta. Il suo viso si è materializzato davanti a me come se fosse lì anche lui. Sorrideva. Parlava spesso di tutti i suoi amici imitandone gli accenti e mi offriva la sua focaccia. Mi andava a portare i compiti sulla cattedra e mi aspettava quando io mi chiudevo per troppo tempo in bagno. Mattia aveva sempre gli occhi spalancati e il sorriso pronto.

"No, non è triste. Io sono la sua amica", ho pensato mentre la testa di Enrica sbucava dalla porta.

«Marghe, perché non chiedi a Ingrid se viene a passare il Natale con noi? Se non va da suo figlio, naturalmente. Così ci insegna a fare i biscotti allo zenzero!»

La mamma sapeva di zenzero. Non me lo ricordavo quasi più il suo odore. Ho mosso appena la testa per paura che mi volasse via. Poi la sua voce ha aggiunto: «Se accetta, le inviamo il biglietto per mail stasera!».

Sono uscita dall'ufficio e mi sono messa a correre in mezzo a grossi banconi, contenitori, alambicchi, sostanze tossiche, polveri e agenti chimici.

«Enrica!» ho gridato.

«Sono qui.» Il mio passo si è arrestato davanti a lei e a un uomo molto più giovane. Erano vestiti di bianco e lui mi guardava con stupore.

«Ingrid ha accettato! Viene!» E mi sono messa a saltare.

Enrica ha sorriso e prendendo le mani del suo collega ha iniziato a saltare con me. «Evviva! Ingrid viene! Questa sì che è una notizia!»

«Evviva», ha ripetuto il ragazzo con aria perplessa. «Chi è Ingrid?»

Io ed Enrica lo abbiamo guardato e siamo scoppiate a ridere.

Mancavano cinquantun giorni a Natale ed era iniziato il mio avvento. Lei, subito, si è messa al computer per acquistare il biglietto. Una manciata di minuti e Ingrid era già una certezza.

Mi è suonato il telefono. Enrica mi ha guardato perché quella era forse la prima volta che sentiva la mia suoneria.

«Pronto?» ho detto.

«Ti va di uscire oggi?» La voce di Mattia ha sparato il mio cuore direttamente in gola.

«Sì, però non sono a casa ora...» Poi guardando Enrica con lo sguardo implorante ho aggiunto: «Ma rientro tra poco!». Lei fortunatamente ha annuito.

In auto Enrica mi ha raccontato della colocasia, una pianta tropicale che suda proprio come gli esseri umani, e, non contenta, ha arricchito la nostra conversazione chiedendomi: «Sai perché battiamo i denti dal freddo?».

«Uhm, no.»

«È un movimento involontario dei muscoli masticatori che così facendo producono calore per compensare l'abbassamento della temperatura.»

«Ah, interessante», ho risposto quando siamo arrivate a casa e ho visto Mattia davanti al portone con un piccolo mazzo di margherite fra le mani.

Enrica ha accostato e mentre scendevo mi ha sussurrato: «Sappi che se non ti innamori tu, giuro che lo faccio io! A casa alle sette e tieni il telefono sempre acceso o tuo padre mi tira il collo».

Sono rimasta ferma. Era come se non riuscissi a scendere.

«Forza, non vorrai mica che pensi che non hai voglia di vederlo?»

«No, è solo che non so cosa dire...»

«Puoi iniziare con una battuta tipo: "Sai qual è il colmo di un astronauta? Avere gli occhi fuori dalle orbite!".»

C'era riuscita. Ero schizzata fuori dall'auto in un lampo.

«Margherita...»

«Sì?»

«Buttatici dentro, ragazza!»

Non riuscivo a smettere di fissare i fiori e mi è sembrato di sentire un gran caldo, così, per nascondere l'imbarazzo, ho proposto di andare verso il parco sperando che camminare mi avrebbe calmata.

«Con il tuo fascino hai fatto innamorare Enrica!»

«Ottimo punto di partenza no? Se piaccio ai genitori, aiuta!»

"Perché mai? Sono solo genitori", ho pensato senza dire nulla.

Pochi minuti dopo stavamo passeggiando lungo la pista ciclabile del parco dietro casa.

In giro si vedevano solo nonni e bambini piccoli, così abbiamo deciso di fermarci in una piccola radura sotto un grande albero. Mi sono seduta sulla panchina cercando di stargli il più vicina possibile.

«Questi sono per te!»

«L'avevo intuito, cioè voglio dire... sono bellissimi, grazie! Delle margherite! Che originale!» ho detto con l'aria di chi vuole sembrare padrone della situazione, e, mentre tutta la luce del mondo gli illuminava il volto, Mattia si è sporto in avanti per accarezzarmi il mento. Ho temuto che mi avrebbe baciata, così tutto il mio corpo è diventato rigido come il marmo. Lui si è allontanato.

Quando sono rientrata a casa, Enrica era in bagno a infilare la biancheria nella lavatrice. Io tenevo le margherite in mano e lei mi ha sorriso.

«Vuoi un vaso?»

«Mi basta un bicchiere.»

Sono andata in camera mia e ho messo i fiori nel portapenne sulla scrivania.

Poco dopo mio padre è spuntato nella stanza e con una voce allegra mi ha detto: «Allora viene Ingrid! Sei contenta?».

Ho annuito e lui mi ha sorriso.

«È pronto. Vieni.»

Io mi sono accorta che non riuscivo a togliermi dalla testa

tutta quella luce che nel pomeriggio aveva illuminato il volto di Mattia, ma dovevo rimanere concentrata sul qui e ora, sulla tavola apparecchiata e sul cibo nel mio piatto. Ero terrorizzata dal dover raccontare a papà del mio incontro e dei fiori. Pensavo che Enrica gliel'avesse già spifferato e la cosa mi metteva a disagio.

«Va tutto bene?» ha chiesto mio padre.

«Eh?» ho risposto. Volevo formulare una domanda che mi facesse sembrare rilassata. «Che carne è questa?»

«Vitello», è intervenuta Enrica dopo aver ingoiato un boccone.

«Sei sicura che vada tutto bene?» ha ripetuto mio padre. «Hai qualche pensiero per la scuola?»

«Non ho nessun problema con nessuna scuola e non sono innamorata di Mattia!» Con tono difensivo mi sono alzata, ho mormorato: «Scusate», e sono andata in camera mia.

Mentre uscivo dalla cucina ho sentito mio padre chiedere: «Scusa, ma chi è Mattia?». *Enrica non mi aveva tradita!* Mi sono sentita un po' stupida.

L'*Ave Maria*, ecco di cosa avevo bisogno per ritornare sul pianeta Terra. Ho preso il violino e senza sistemare lo spartito ho suonato come piaceva a me, a occhi chiusi.

Qualcosa non andava. Al quarto rigo il suono perdeva la sua fluidità come se mancasse una nota o io non fossi abbastanza veloce nel passaggio tra un accordo e l'altro.

Ho riprovato. Poi ancora.

«Dovresti fare una pausa», ha detto Enrica appoggiata allo stipite della porta.

«Non mi riesce.» Parlavo senza guardarla.

«Capisco. Una volta ho ripetuto un esperimento venticinque volte. Sono passata alla storia del laboratorio.»

Mi sono girata con aria interrogativa.

«L'esperimento durava un giorno intero. Quasi un mese

per ottenere un numero. Ero esasperata e ti assicuro che ho pensato persino di inventarmelo!»

«E poi come hai fatto?»

«Ho fatto una pausa. Sono uscita dall'università e sono andata a comprarmi delle scarpe. È stato un po' costoso, ma quando sono tornata ho compreso il mio errore e tutto è filato liscio. La musica non credo sia tanto diversa dalla scienza. Ti ci devi buttare dentro con tutte le forze che hai. Come in amore!» E ridendo è sparita nel corridoio.

Dentro con tutte le forze che hai, come in amore.

Quella sera, ormai a letto e al buio, ho ripensato alla giornata. Avevo invitato Ingrid e questo mi sembrava fantastico. Poi ancora le parole di Enrica e nella mia testa ho rivisto Mattia, la sua luce, e il suo sorriso. E le margherite. Poi mi sono addormentata.

Dopo essermi rivolto al dipartimento per la Giustizia minorile, presentai la richiesta per il tuo rientro. Tu eri italiana e non potevano portarti via senza il mio permesso.

«Ora dobbiamo attendere», mi disse il mio avvocato.

«Aspettare? Ma quanto?» chiesi incrociando le dita sul cuore e sperando che la risposta fosse qualsiasi altra ma non quella.

«Se tutto va bene, ci vorranno circa due anni perché la Cassazione emetta il suo verdetto.» Poi, come se volesse rendere quello che mi aveva appena detto più tollerabile, aggiunse: «Ma sono certo che sarà un esito positivo!» dandomi una pacca sulla spalla.

Due anni? Ci strappano ventiquattro mesi di vita e tutto quello che mi restituiscono è una pacca sulla spalla?

Quando ti rivedrò, sarai cresciuta di dodici centimetri e peserai sei chili in più, avrai imparato centinaia di parole in un'altra lingua e avrai perso i denti da latte.

Mi feci coraggio e telefonai ad Angelika. Mi tremavano le mani. Dovevo rimanere calmo e far finta di non essere arrabbiato e deluso. Ordinai i pensieri e aspettai di sentire la sua voce.

«Voglio parlare con Margherita.»

«Adesso non è possibile, non è qui.»

«E dov'è?»

«Francesco, richiama in un altro momento, adesso sei inopportuno.»

Inopportuno? Mi chiesi se quella parola gliela avessi insegnata io.

«Angelika, io devo stare con mia figlia. È importante. Non puoi cancellarmi. Pensa a quello che stai facendo. Posso venire su il prossimo weekend.»

«Non se ne parla. Non ci saremo. Faresti un viaggio a vuoto. Poi c'è una cosa che devi sapere in modo che ti possa mettere l'anima in pace.»

Le gambe mi tremarono.

«Voglio sposare Giuseppe. Margherita è felice. Ha trovato finalmente un vero padre!»

Il telefono mi cadde dalle mani. Non poteva essere lei, la donna che avevo desiderato più di ogni altra, che avevo accompagnato a tutte le visite ginecologiche, che avevo convinto a chiamarti come mia madre, che lasciavo vincere a biliardino per non farla arrabbiare, che aveva fatto morire d'invidia tutti i miei amici con quelle gambe lunghe, gli occhi blu come il mare e quell'accento straniero che la rendeva esotica e irresistibile.

Un vero padre? E io?

Chiamai un'amica di Andrea, una psicologa, per farle la domanda peggiore che un padre potesse formulare: «Quanto tempo? Quanto tempo ho, prima che Margherita si dimentichi di me?».

La risposta fu la peggiore, quella che avrebbe dato persino un bambino.

Ero un giovane uomo con tutta la sua forza, Margherita, ma non ci sono riuscito. Non ce l'ho fatta a riportarti qui, a tenerti legata a me, e mi chiedo se potrai mai perdonarmi perché te l'avevo promesso, così come fa un padre, quando il tuo piccolo pugno aveva stretto il mio dito per la prima volta.

Se non fosse stato per Andrea, sarei finito anche io come quei genitori che, per stare dietro a tutte le sentenze dei tribunali, perdono il lavoro. Era lui a mandare avanti la nostra attività, lavorando per due, senza mai lamentarsi.

«Non so se potrò mai ricambiare quello che stai facendo per me», gli dissi una sera.

«Faresti lo stesso se ci fossi io al tuo posto. Riporta a casa Margherita! Hai più visto Enrica?»

«No. Non credo che le possa interessare un uomo con un processo internazionale e con l'ansia di non riuscire a vedere mai più sua figlia.»

«Tu le piaci.» Non diedi troppo peso a quella frase, secondo Andrea io potevo avere tutte le donne che volevo.

Qualche giorno dopo la chiamai per invitarla a fare una passeggiata la domenica successiva. Fu una bellissima giornata. Ricordo di aver riso molto mentre mi descriveva tutto quello che accadeva dentro il suo laboratorio e di essermi lasciato coinvolgere davvero in tutti i suoi progetti di ricerca. Aveva la capacità di raccontare in modo semplice le cose più complicate del mondo. C'era qualcosa di insolito nel suo modo così concreto e solido di parlare. Parlava di esperimenti che avrebbero portato a nuove conoscenze con la stessa facilità con cui ti avrei spiegato la tabellina del due.

Mi chiese di te, e io avrei voluto avere un po' del suo modo di raccontare. Tu eri così complicata da spiegare. Eri la cosa più giusta e più importante di me. Eri alta un metro e quindici centimetri e pesavi poco più di diciannove chili, lo so perché riuscivo a sollevarti con un solo braccio, ti piaceva andare in bicicletta e nuotare, avresti voluto un cane e mi avevi quasi convinto, adoravi fare le bolle con il dentifricio quando ti lavavi i denti, masticare le gomme colorate e ripetere le frasi del *Mago di Oz*. Sapevi di vaniglia e volevi vestirti di rosa. Ridevi sempre quando qualcuno indossava gli occhiali da sole e del pollo mangiavi solo la coscia. Volevi giocare a carte e poi trovavo i jolly sotto il cuscino della tua sedia, amavi fare costruzioni con i mattoncini di legno e sapevi rispondere in due lingue come se fossero una sola perché ti avevamo fatto questo regalo, tua madre e io. Eri speciale e avevi lasciato un vuoto incolmabile che occupava ogni centimetro di casa e io non sapevo cosa fare.

Enrica mi guardava con l'aria di chi sta per mettersi a piangere.

«Credo di essermi innamorata di te», disse con un filo di voce.

Mi chinai su di lei e la baciai. Una volta, un'altra e poi ancora, come se volessi che tutte le altre parole le trovasse direttamente sulle mie labbra, perché se si fosse staccata da me io mi sarei frantumato in mille pezzi.

«Il prossimo sabato ci sarà il matrimonio del mio capo e io ho un serio problema con i matrimoni», annunciò Enrica tutto d'un fiato come se avesse radunato tutto il suo coraggio.

«Tu?»

«Piango sempre, non riesco a smettere, e un'amica mi ha suggerito di farmi accompagnare per controllare le mie emozioni. Così ho pensato a te, ma solo se ne hai voglia.»

Fu difficile dirle di no, anche se l'ultimo matrimonio a cui avevo partecipato era stato il mio; ma, nonostante questo pensiero, non mi sembrava troppo strano andare con lei.

«Si sono conosciuti su Internet. Lui è su una sedia a rotelle, mentre lei insegna in una palestra. Lui è un professore universitario plurititolato, lei ha lasciato la scuola prima del diploma.»

«Il giorno e la notte.»

«Già, hai ragione, ma nessuno dei due ha un senso senza l'altro.»

In matematica, l'appartenenza ci indica che l'elemento A ha una relazione con l'insieme X. In amore, l'appartenenza mi indica che senza di te mi manca semplicemente il respiro.

La nostra storia iniziò così, alla festa di due sconosciuti, mentre Enrica si muoveva in modo ammiccante e io cercavo di tenere dritta una parete sforzandomi di sorridere. I capelli spettinati, le spalle scoperte e il suo sorriso che sapeva di vita. Un attimo solo, i suoi occhi nei miei, ed è stato come se quel muro non avesse più bisogno di me, e mentre tu eri via da ormai troppo tempo io sperimentavo un altro inizio.

Enrica ballava molto bene, ma la cosa più irresistibile era quella scintilla che sembrava accendersi quando sfioravo la sua pelle liscia o quando il suo profumo caldo e speziato mi pungeva il naso mentre la facevo roteare tenendole la mano. Era bella. Le labbra socchiuse e un'aria seducente come se fosse certa dell'effetto che questo mi procurava. Poi la musica si calmò e io la strinsi tra le braccia fissandola negli occhi finché tutte le sue difese caddero una alla volta. Appoggiò la testa sulla mia spalla e in quel momento tutto svanì. Quella notte a casa sua provai a essere un altro, un uomo nuovo. Affondai le mani nei suoi capelli e la baciai con tutto me stesso. Avvertivo il suo corpo cambiare sotto il mio e le sue labbra iniziarono a cercarmi. La sollevai dal divano e la condussi in camera da letto. Facemmo l'amore senza fretta come se desiderassimo che non terminasse mai. Dopo, rimase incollata al mio braccio per non lasciarmi andare. La guardai addormentarsi e ascoltai l'infinita pace che ci avvolgeva. Sdraiato al buio, mi sentii me stesso.

Avevo paura, non mi dovevo affezionare, ma non riuscivo a smettere di abbracciarla. In fondo lei era una donna, faceva parte di quella metà di mondo che avevo imparato a odiare, ma era da lei che tornavo appena scendevo dall'aereo dopo l'ennesimo vano tentativo di stare un po' con te da solo. Ne avevo bisogno, come uomo, come essere umano.

Mi erano concesse rare visite, esclusivamente in presenza di Angelika e di un paio di assistenti sociali. Tu venivi accompagnata in una stanza dove non potevo sentire cosa ti dicevano e poi davanti a me, seduta su una sedia. Ti portavo dei giocattoli che mi chiedevano di lasciare in un'altra stanza. Cercavo di guardarti in viso, eri così piccola e assente. Ti parlavo in italiano, piano, sperando che ti aiutasse a ricordarti di me, della tua casa, dei mattoncini di legno e del ragù della nonna. Tu muovevi la testa e rispondevi a monosillabi. Il tempo scadeva sempre troppo presto e venivi trascinata via.

Chiedevo a tua madre di dedicarmi un attimo, qualche parola, un caffè, uno scambio di informazioni.

«Non posso, Giuseppe ci aspetta a casa!» Si portava via tutto, tranne la mia rabbia.

Un giorno provai a telefonare a Giuseppe. Era italiano, era un uomo, forse e magari era anche un padre. Forse e magari poteva essere la mia salvezza.

«Non rivoglio Angelika, vi auguro di essere felici e mai ostacolerò la vostra unione. Voglio solo avere un rapporto da padre con Margherita.»

Inizialmente sembrò stupito del mio tono, continuava a ripetere che dovevo lasciare in pace Angelika e smettere di perseguitarla. Provai a spiegargli che i miei contatti erano solo finalizzati a Margherita e che la sentivo molto raramente perché quasi mai mi rispondeva al telefono. Sperai di averlo convinto quando si mostrò così gentile da parlarmi della scuola di mia figlia, del corso di nuoto che mi colmò di gioia, e mi chiese il mio numero per potermi richiamare con più calma.

Non lo fece mai. Un'altra battaglia persa.

L'illusione è una distorsione della realtà. Illudersi è qualcosa di molto doloroso.

Il tempo passava e finalmente è arrivato anche il giorno del tuo compleanno e io non avevo la più pallida idea di cosa fare.

«E come vorresti festeggiarlo?» mi ha risposto Enrica. «Come si festeggiano i compleanni di qualsiasi adolescente. I primi a dover assumere un atteggiamento di normalità siamo noi, altrimenti per lei sarà sempre tutto difficile.»

«Quindi?» Brancolavo nel buio.

«Quindi io preparo un dolce e tu le compri un regalo, poi se vuole, ma dobbiamo chiederglielo, possiamo portare una torta anche a scuola per festeggiare insieme ai compagni. A volte mi sembri arrivato dalla luna!»

Mentre Enrica si dimostrava padrona della situazione, io continuavo a ripetere la parola «regalo» come se fosse una preghiera.

Cosa potevo comprarti? La sera prima avevo ripetuto la stessa domanda a tutti i clienti che entravano nell'enoteca. Mentre preparavo loro il conto chiedevo: «Scusate, cosa regalereste a una quindicenne per il compleanno?».

Una collana, un bracciale, l'iPod di ultima generazione, i biglietti per un concerto, una felpa, dei libri. Perché mi sembrava tutto così inutile, Marghe? Sarei mai stato un padre come gli altri? Capace di fare quello che deve, senza chiedere sempre aiuto?

Quando ci siamo seduti a tavola, tu eri molto silenziosa. Avevamo deciso di farti una sorpresa e la giornata era trascorsa senza dirti nulla. Mi sono chiesto se eri dispiaciuta per la mancanza di auguri o ci eri semplicemente abituata.

Abbiamo mangiato parlando del più e del meno, come se quello fosse un giorno uguale agli altri. Poi Enrica è sparita. Ha spento la luce e quindici candeline ti hanno illuminato il viso. Avevi le labbra spalancate.

«Ve lo siete ricordato?» hai chiesto mentre noi intonavamo i tuoi auguri.

«Ora esprimi un desiderio e soffia», ti ho suggerito, sperando che tutto quello che desideravi fosse in quella stanza.

«Ora i regali», ha annunciato Enrica. «Prima quello di papà!»
Io, un po' imbarazzato, ti ho dato una scatoletta quadrata.
«Un super nuovo iPod? Che bello! Grazie!» E sentirtelo dire con quella voce allegra è stato il regalo migliore che tu potessi fare a me.

Poi Enrica ti ha messo davanti una grossa scatola di cartone e ha detto: «Bene! Ora tocca al mio. Forza, aprila».

Ti sei alzata e hai tirato fuori diverse cose.

La bambola che ti avevo comprato per il tuo quinto compleanno, un cavallo di peluche per il sesto, un libro di favole per il settimo, un puzzle per l'ottavo, la Barbie per il nono, un lettore CD per il decimo, una calcolatrice per i tuoi undici anni, una maglietta colorata per i dodici e ancora una borsa e un cellulare.

La mia vita senza di te era tutta sul tavolo.

Tu hai guardato Enrica. «Ma sono tantissimi!»

«Sono tutti i regali che tuo padre non ti ha mai potuto dare! Meglio tardi che mai.»

Margherita ha sgranato gli occhi e ha sussurrato: «Io non lo sapevo...» mentre io ho portato le mani al volto e sono scoppiato a piangere.

Ma non ero io quello che sembrava arrivato dalla luna?

Viviamo nel futuro come se la vita fosse soltanto davanti a noi. Prendiamo decisioni difficili oggi per facilitarci il domani. Un domani di cui essere certi e speranzosi. Non importa la nostra età, siamo nati per fare progetti, costruire rapporti, avere seconde occasioni. Pensiamo al domani come se lo vivessimo oggi. Un domani che però potrebbe anche non arrivare.

Natale si avvicinava e io mi sentivo spezzata in due. Ero felice perché Ingrid sarebbe finalmente arrivata e triste perché con me non ci sarebbe stata anche mamma.

Prima delle vacanze, tutti i genitori erano stati convocati per i colloqui con gli insegnanti. Andavo abbastanza bene, tranne per l'italiano scritto.

Quando mio padre l'ha scoperto si è agitato. Avevo ancora dei problemi con gli articoli e con le doppie. Per fortuna è intervenuta Enrica che ha promesso di dedicarmi un po' di tempo dopo cena, quando mio padre è al lavoro.

«Ma tu sei una scienziata», avevo detto.

«Sì, ma anche il meglio che hai a disposizione. Non vorrai farti insegnare a scrivere da tuo padre e i suoi amici, spero!»

Poi prima di uscire dalla stanza aveva aggiunto: «Il mondo è studiato dalla scienza ma lo si può descrivere solo attraverso il linguaggio. E si possono fare grandi cose quando si uniscono due elementi, questo lo insegna la chimica!».

È stato divertente, Enrica mi ha spiegato che tutto quello che mi circonda è fatto da sostanze chimiche, anche i libri su cui studio e il letto su cui dormo. Poi alternavamo gli esercizi di grammatica con uscite al cinema e a teatro perché Enrica sosteneva che la cultura si impara ovunque. Io avevo qualche dubbio, ma seguirla nei suoi ragionamenti mi piaceva.

È stato così che una sera mi ha promesso di portarmi a vedere *Le nozze di Figaro*.

«Vedrai, ti piacerà! Mozart aveva la fissa dei numeri!»

Solo lui? «Davvero?»

«Certo, vedrai proprio Figaro entrare in scena cantando una serie di numeri: cinque... dieci... venti... trenta... trentasei... quarantatré. Se ci fai attenzione, scopri che non sono detti a caso, ma rispondono alla nota formula della proprietà commutativa delle somme.»

Ho cambiato espressione così velocemente che Enrica mi ha detto: «Non preoccuparti, non è difficile. Io posso spiegartela».

«Non sono preoccupata per la formula. Sono preoccupata di ridurmi così anch'io!»

Così quella sera ho ignorato i numeri e mi sono lasciata affascinare solo dalla musica.

Poco dopo, fuori dal teatro, abbiamo incontrato un uomo. Enrica, sulle prime, è rimasta interdetta, ma in capo a qualche secondo si erano riconosciuti come vecchi amici. Ci ha presentato: era un suo compagno di università che non vedeva dal giorno della laurea. Lui ha iniziato una sfilza di complimenti su di lei, sul suo lavoro e sulle sue incredibili capacità, mentre Enrica sorrideva e sembrava arrossire un po'.

«Ti lascio il mio numero, chiamami, che facciamo una rimpatriata!» ha detto poco prima di dissolversi nella notte.

Mi è venuta la curiosità di sapere chi fosse la donna che guidava l'auto per riportarmi a casa. Mi sono chiesta quale fosse il suo passato e come fosse arrivata fino a lì, a incrociarsi con me.

«Simpatico il tuo amico», ho azzardato.

«Sì, molto!»

«Lo rivedrai?»

Lei mi ha guardato dubbiosa. «Non credo. Appartiene all'altra vita.»

«L'altra?»

«Lo capirai quando sarai più grande, ma chi è convinto che la strada da percorrere sia una sola si sbaglia di grosso. A volte siamo i protagonisti di capitoli che qualche anno dopo non rileggeremo più, e andare oltre significa essere diventati più forti.»

Io mi sono appoggiata allo schienale e mi sono persa tra le luci della notte. Quando l'auto si è fermata ho chiesto: «Quando hai conosciuto mio padre?».

Lei si è voltata verso di me. «Quando ti stava cercando.»

«Mi cercava?»

«Da morire, Margherita. E non ha ancora smesso.»

Avevo bisogno di chiudermi in bagno ma papà ed Enrica sono rimasti svegli fino a tardi, così quella sera ho dovuto vincere la mia voglia di vomitare, e non è stato facile.

Ci aspettiamo sempre tanto dagli altri, lo facciamo per natura o perché ci sembra ovvio, ma quando qualcuno si dimostra all'altezza delle nostre richieste ci accorgiamo che non eravamo preparati a non rimanere delusi.

Adele, slovacca, è fuggita dall'Italia con il figlio, approfittando dell'assenza del marito per motivi di lavoro, e si è rifugiata nel suo paese natio. Antonio, padre del bambino di cinque anni, si è rivolto alla giustizia che gli ha dato ragione, affidandogli il figlio con sentenza che ha disposto il rientro immediato del piccolo. Nonostante ciò, Antonio non vede suo figlio dal 2008 e non sa neanche esattamente dove si trovi.

Il primo Natale insieme dopo dieci anni si stava avvicinando.

Una festa strana, il Natale: un anno la odi a morte, mentre l'anno dopo ti sembra la più grande invenzione del mondo. Una festa fatta apposta per pensare, ricordare e perdonare. Eri tornata da sei mesi solo perché tua madre era sparita, lasciandoti tra mille domande che non so se troveranno mai risposta. Lo aveva fatto anche con me.

Il biglietto aereo per Ingrid l'avevate acquistato via Internet dal laboratorio, lo stesso giorno in cui le avevate telefonato. Sapevo che avere qui la donna che ti aveva cresciuta era un'ottima idea, ma sentire ancora quella lingua e mangiare quel cibo mi dava fastidio. Non volevo commettere lo stesso errore di tua madre e avrei fatto finta di nulla pur di vederti cambiare espressione e sentirti parlare in modo vivace come dovresti fare alla tua età, ma pensare che tu lo facessi con tutti tranne che con me mi faceva male.

Non ero io il cattivo della storia.

Siamo andati a prendere Ingrid in aeroporto la mattina della vigilia e quando ti ha vista ha spalancato le braccia strillando qualcosa in quella lingua per me purtroppo odiosa. Tu ti sei trasformata e hai iniziato a correre verso di lei. Eravate lì al centro della sala degli arrivi a urlare di gioia e saltellare come se aveste avuto cinque anni e io non riuscivo a togliervi gli occhi di dosso. Poi di corsa a casa a mettere in piedi una specie di sfida culinaria tra Italia e Danimarca che non avrei gradito perdere, almeno quella. Mentre cucinavate ho capito che stavi raccontando a Ingrid tutte le cose bizzarre che ti ha spiegato Enrica. Mi hai fatto sorridere e mi sono chiesto come facessi a ricordarti tutto.

Devo ammettere che sono state le giornate più belle degli ultimi tempi. Tu sembravi così rilassata! Ingrid dormiva nel letto accanto al tuo e parlavate per ore. I vostri bisbigli fluttuavano nella notte. Enrica aveva disposto lenzuola, asciugamani e coperte a portata di mano. Aveva preparato le lasagne, il cappon magro e un aperitivo un po' troppo alcolico. Quella sera ci hanno raggiunto anche Andrea e Marta, i miei amici di sempre, e i genitori di Enrica. Sua madre aveva contribuito con il vitello tonnato, l'arrosto e un paio di specialità delle sue parti. Il dolce lo aveva portato Marta, che era anche conosciuta come la migliore pasticcera della città.

Avrei voluto che i miei genitori fossero lì con noi perché quella gioia era anche loro, perché la vita li aveva portati via troppo presto e sarebbe stata in debito per sempre.

Io ho stappato un po' di bottiglie di quelle che aiutano a stare meglio, tra cui un Sassicaia e un Barolo che Ingrid ha dimostrato di apprezzare molto. Tanto che dopo poco stava cercando di raccontarci una barzelletta chiedendoti di tradurla per noi. Vi ho viste ridere per qualcosa che nessuno poteva capire, andare in cucina ad aiutare Enrica e fare cin cin con Andrea che raccontava di quella volta in cui tu e lui eravate rimasti soli in enoteca per un'emergenza. Avevi solo sei mesi e lui aveva iniziato a pregarti di non metterti a piangere perché «le donne che frignano non mi sono mai piaciute».

Ho toccato il bicchiere con il coltello per attirare la vostra attenzione e sollevandolo ho detto: «Tutto quello che ho sempre desiderato si trova in questa stanza». Un silenzio sospeso, poi un piccolo applauso perché chi mi conosceva bene sapeva che era vero.

I giorni seguenti Enrica vi ha portato in giro a visitare paesini e monumenti. Ingrid acquistava ogni piccolo ninnolo che le capitava tra le mani: souvenir cangianti al variare dell'umidità atmosferica, ventagli con la storia del nostro paese stilizzata sopra, ditali per cucire con le facce dei pittori del Rinascimento e una statuetta del David di Donatello che sembrava piacerle molto.

«Uomini italiani belli come David!» ha esclamato una sera.

Tu ed Enrica vi siete guardate e vi siete messe a ridere.

«No, Ingrid, non è proprio così!» Quella donna robusta ed energica mi metteva allegria e ho compreso perché tu tenessi tanto a lei. Una parte di me le era profondamente grato, l'altra la invidiava. Avrei dovuto avere io quella complicità con mia figlia e compresi che essere un genitore ha più a che fare con il tempo speso insieme e con i ricordi che con il patrimonio genetico. Tutte le sere vi sentivo chiacchierare per ore di te o del tuo amico Mattia, di cui mi aveva accennato Enrica. Ho dovuto ammetterlo davanti a me stesso: con loro tu eri diversa.

Io non sapevo da quale parte entrare. Tua madre morendo aveva vinto la guerra, dimostrandomi che io ti avrei potuta riavere solo se lei non fosse più esistita. Avrei potuto partire da lì, da quello che lei aveva fatto a te e a me, al tempo che ci aveva rubato e a tutti i ricordi che aveva preferito tu condividessi con qualcun altro. Ma non volevo, non potevo averti solo perché lei non esisteva più.

Non avrei calpestato la sua immagine per quanto lo desiderassi più di ogni altra cosa, non avrei fatto quello che lei aveva fatto con me, non era questa la strada, lo sapevo.

Ingrid si è fermata una settimana intera e devo ammettere che riaccompagnarla all'aeroporto, sapendo che si sarebbe portata via anche la tua allegria, mi feriva. Tu hai smesso di parlare quella mattina stessa e io ti ho riconosciuta. Sguardo basso, musica nelle orecchie, andatura lenta, educata ma assente.

Quel pomeriggio, con il volo delle tre e quarantacinque minuti per Copenaghen, una parte di te era volata via. Mi sono chiesto se il tuo sorriso e la tua serenità fossero mai davvero arrivati in Italia e ho compreso che era da lì che dovevo ripartire.

Le favole che ti raccontano da bambino per farti addormentare, o per allietare i tuoi pomeriggi, sono storie orribili. I protagonisti sono sempre orfani, spesso a causa di lunghe malattie o morti rapide e violente dei genitori. Poi compaiono matrigne, streghe cattive e imperatori senza scrupoli. L'amato cucciolo e l'adorabile nonnina vengono uccisi o rapiti sempre troppo presto e la cosa più incredibile è che a questo punto la storia, di solito, deve ancora iniziare.

La verità è che non c'è poi tanta differenza tra essere il personaggio principale di una favola o della vita. Prendi il mio caso: mia madre è morta, mio padre mi guarda come se fossi un'aliena, vivo in un paese dove non conosco quasi nessuno e l'unica persona che vorrei accanto sta dall'altra parte dell'Europa.

Quando vivevo in Danimarca nella mia classe c'era una ragazza che si faceva chiamare Alice. Non era il suo vero nome, ma se non la chiamavi così lei non si girava. Io e Alice eravamo diventate amiche. È stata la sola amica della mia età che abbia mai avuto. Prima di Mattia.

Sosteneva di essere quella del Paese delle meraviglie, di avere uno specchio magico e di poter ascoltare quello che tazze e suppellettili dicevano tra loro. Era una ragazzina molto simpatica e un giorno sparì nel nulla. Le maestre ci spiegarono che si era trasferita in un altro paese per il lavoro del padre e che ci mandava i suoi saluti. La verità per me era che anche lei era svanita nel nulla. Un giorno c'era e il giorno dopo no. Ed era strano, perché dovevo ancora restituirle il suo album da disegno e darle un braccialetto che le avevo confezionato con le mie mani. Speravo di avere più tempo a disposizione. Non lo finii, non era più importante, ormai.

Fu in quel periodo che iniziai ad andare in bagno a vomitare: per me, per lei, per il banco vuoto accanto al mio, per i suoi genitori che l'avevano portata via senza dire nulla e anche per i miei.

Così, dopo aver visto Ingrid sparire oltre il metal detector, sono stata assalita di nuovo dalla solita sensazione di sconforto. Avrei voluto andare con lei e credo che il messaggio del mio corpo fosse chiaro. Poche ore dopo ero di nuovo in bagno a ficcarmi un dito in fondo alla gola sperando che arrivasse il noto sollievo. Ancora. Ma qualcosa non andava. Rossa come un peperone, con il fiatone e con lo stomaco ormai vuoto, stavo peggio di prima. La voglia di farmi male per non sentire male. Ecco cos'era. Ho pensato al fuoco, al vuoto, al sangue. Ho tirato l'acqua dello sciacquone e mi sono avvicinata all'armadietto di papà. Ho preso le sue lamette da barba. Avevo voglia di tagliarmi.

Mi sono guardata nello specchio e mi sono fatta coraggio. Ho preso fiato e con gli occhi ho cercato la carne bianca e morbida dell'interno della coscia. Mi sono incisa e ho visto la pelle aprirsi in una linea rossa e una goccia di sangue arrivare fino al ginocchio, come se cercasse una via d'uscita. Sono stata improvvisamente meglio.

Poco dopo la voce di Enrica mi ha detto che mi volevano al telefono. Ho preso del cotone per tamponarmi e mi sono rimessa i jeans.

«Pronto?»

«Sono Mattia. Andiamo a fare un giro?» La sua voce è arrivata fino a me, alla mia ferita che pulsava ancora sotto i vestiti e al mio cuore. Mio padre mi ha accompagnato al centro commerciale, mi ha dato dei soldi e mi ha raccomandato di tenere il cellulare acceso. Enrica mi avrebbe recuperato dopo qualche ora. Dovevo essere puntuale perché lei lo sarebbe stata.

Mattia era già arrivato. Sua madre mi ha sorriso e ha ripetuto le stesse cose che aveva detto mio padre in auto.

«È carina tua mamma», ho detto per rompere l'imbarazzo.

«Ogni tanto sì. Per il resto è una rompipalle. Ha sempre il terrore che mi faccia male e mi ripete sempre le stesse cose, quelle che non posso fare.»

«A me sembra perfetta!»

«Ah sì? Se vuoi te la regalo. È tutta tua, ma poi, quando avrai iniziato a non sopportarla più, non dire che non ti avevo avvertito.»

«Perché non dovrei sopportarla più?» chiesi, pensando che a me sarebbe bastato averla ancora la mia mamma.

«Perché è una mamma: sono tutte uguali. E i tuoi in cosa sono maestri di rottura?»

"In nulla", avrei voluto rispondere, ma mi sono limitata a dire che era troppo lunga da spiegare e ho cambiato argomento.

Mentre affogavamo i cucchiaini in una coppa gelato gigante Mattia mi ha detto: «Vuoi sapere perché ho scelto di sedermi accanto a te a scuola?».

«Perché?»

«Perché quando mi sono iscritto, la preside mi aveva detto che in classe c'era una ragazza danese che si era trasferita da poco: non sarei stato l'unico "straniero"!»

«E come hai fatto a capire che ero io?»

«Ti sembra una domanda furba questa? Eri l'unica che

sembrava arrivata direttamente dalla luna. Mi sarei seduto accanto a te anche se fossi stato cieco!»

Sono rimasta senza parole come se qualcuno mi avesse dato uno schiaffo senza motivo e la voglia terribile di correre in bagno mi ha morso le gambe.

Poi, mentre con la mano cercavo le ferite nascoste sotto i jeans, ho detto: «Ma io non sono così!». E un mare di immagini nella mia testa mi parlavano di tutt'altro.

«Non fare la modesta. Comunque ti sei guadagnata la storia della mia vita fin dall'inizio.» E con l'aria di chi sta per narrare una favola, mi ha raccontato di tutte le città in cui aveva vissuto, sette da quando andava a scuola. Spesso alloggiavano direttamente in caserma, se il mandato del padre non prevedeva una permanenza troppo lunga, altre volte veniva loro assegnata una casa vera e propria.

Con un filo di voce ho mormorato: «E qui dove vivi?».

Casa, casa, casa, casa. Ti prego rispondi che vivi in una casa.

«In un appartamento vicino alla scuola», ha risposto, come se avesse ascoltato i miei pensieri.

«Ah, interessante!» E l'ho visto sorridere alla mia espressione idiota.

«Ho amici sparsi ovunque. Per fortuna con Internet alcuni, i migliori, riesco a sentirli spesso; senza, sarebbe impossibile.»

Ero rapita dalle sue parole. Lo guardavo gesticolare mentre descriveva il suo passato che poteva benissimo essere quello di una persona anziana, tanto aveva già girato per il mondo! Era onesto e semplice. Aveva il dono di saper raccontare, ho pensato, proprio dei grandi scrittori. Poi ha nominato una certa Giulia, un'amica preziosa, e la mia gioia interna è cambiata, precipitata, ammutolita. Mentre mi descriveva il dolce tipico di Brescia, l'ultima città in cui aveva vissuto prima di trasferirsi qui, io continuavo a pensare a Giulia.

131

«Chi ti piace della scuola?»

«Nessuno, per fortuna», ho risposto veloce e rossa in viso. Mi sentivo nuda al suono di quella domanda.

«Per fortuna? Che risposta è? Avrai l'imbarazzo della scelta, tu!»

«Io?» Ho sgranato gli occhi. Le immagini del mio vomito nel gabinetto e del sangue lungo la mia coscia. «Figurati. Io non piaccio a nessuno.»

«A me sì, e quindi faccio fatica a credere a quello che dici. Ma voi ragazze siete strane e usate tutti i trucchi possibili per farvi fare qualche complimento.»

Complimento? Ho trattenuto il fiato e ho desiderato non essere lì senza parole da dire. Poi ho sentito la sua mano cercare la mia sotto il tavolo. Cercava proprio le mie dita.

«E se ci vedono?»

«Penseranno che sono proprio un ragazzo fortunato, nonché uno con un discreto fascino, naturalmente.»

«E con una certa faccia da schiaffi», ho aggiunto.

Il mio corpo si è trasformato in una bomba pronta a esplodere e alla fine del conto alla rovescia l'ordigno è saltato in aria facendomi dire, come sempre, la cosa sbagliata.

«Devo andare, Enrica mi aspetta fuori!» ho esclamato alzandomi dalla sedia.

«Okay. Ma sai che non mi hai ancora spiegato bene chi è questa Enrica?»

Sono rimasta a pensarci. Chi era esattamente quella donna che aveva tanta cura di me?

«La fidanzata di mio padre.»

«Ah, la tua matrigna!» ha risposto lui ironico.

Che strano scoprire che la propria favola non è poi così orrenda.

Quella sera, sdraiata nel letto, le parole di Mattia mi continuavano a girare in testa. Mentre mi accarezzavo la crosticina secca lungo la gamba hanno preso a volteggiare per tutta la stanza.

Facciamo progetti. Abbiamo idee precise per il nostro futuro e, per quanto lo si voglia negare, sposarsi o incontrare l'anima gemella è l'idea più gettonata. Per questo se le nostre previsioni ci tradiscono, ci sentiamo persi o addirittura inutili. Ma ci sono cose che non possiamo cambiare, spesso non le controlliamo nemmeno. Poco importa quanto ci teniamo, semplicemente i progetti non servono.

Nei giorni successivi alla partenza di Ingrid, la mia testa non riusciva a togliersi un pensiero. Forse il peggiore. Ogni occasione era buona per ripetermi che il mio rapporto con Margherita si sarebbe scaldato al momento opportuno. Per lei ero uno dei tanti padri che aveva conosciuto. Il primo e quello di cui sapeva meno. Quello che non l'aveva voluta e che si era lasciato sostituire senza troppi sforzi.

Non era così. Avevo lottato. Avevo protestato, replicato, aspettato. Ero volato da te il più delle volte senza sapere se ti avrei vista. Avevo impugnato la sentenza che mi dava il diritto di vederti, di crescerti, di fare il padre e l'ho guardata mentre veniva impilata su una scrivania insieme a mille altre. Erano pezzi di carta e nulla di più. Ti amavo comunque, anche se eri lontana e non ti vedevo mai, ma le mie parole sembravano non avere significato. Io ero una scocciatura per tutti, per i giudici, per gli ambasciatori e gli avvocati. Esattamente come per Angelika.

Ma perché quando non lo avevo, quel documento sembrava indispensabile e ora che lo stringevo tra le dita non interessava più a nessuno?

Tu eri mia figlia nel taglio delle labbra, nella fossetta sulla guancia e nel modo di gesticolare all'italiana. Quale prova più schiacciante di questa? Ma qui non dovevo dimostrare chi fossimo l'uno per l'altra bensì quanto contassimo l'una per l'altro. È così che si pesano i sentimenti e l'amore, la

134

rabbia e il dolore, anche se quel vuoto che avevo dentro e che era grande esattamente quanto te, non sembrava attirare l'attenzione di nessuno.

Una cosa avevo imparato in quei dieci anni: da quando te ne eri andata non avevo altro da perdere e le cose sembravano non essere ancora cambiate.

Ti sono venuto a prendere a scuola. La tua solita espressione mi ha scoraggiato ma avevo avuto il migliore degli allenatori, tua madre, quindi sapevo come resistere.

«Ti porto in un posto.»

«Dove?»

«Dove ho conosciuto tua madre.»

Il tuo corpo si è spalmato sul sedile e ti sei girata verso di me.

Lo sapevo, Margherita, non sarebbe stato facile né per te né per me.

Il rischio, per definizione, è la possibilità che un'azione ti procuri una perdita e ha sempre a che fare con le nostre aspettative. Più sono alte, più rischiamo. Sempre. Altrimenti non ne vale la pena.

Avevo incontrato Angelika sotto Natale. Entrambi facevamo la fila per farci impacchettare i regali in una lussuosa profumeria. Io ero fidanzato con Lisa, la donna che avrei anche sposato se quel giorno non avessi deciso di regalarle un costosissimo profumo.

Una ragazza, alta come solo certe straniere possono essere, era davanti alla cassa. Cercai di sbirciare il suo volto sperando che si voltasse verso di me, così per curiosità, perché da dove mi trovavo sembrava troppo bella per essere umana. La guardai uscire e mi avvicinai alla commessa per il mio turno.

«Signora, ha dimenticato il suo sacchetto, signoraaa...»

Non me lo feci ripetere due volte e colsi l'occasione al volo. Le strappai il sacchetto dalle mani e mi misi a rincorrere quella meravigliosa creatura in mezzo alla folla, in strada.

La vidi mentre veleggiava tra passanti e luci natalizie e provai a raggiungerla. Vederla entrare in un bar mi illuminò.

«Ha dimenticato i suoi regali.»

Lei mi guardò smarrita e sorrise.

«Posso offrirle un caffè?» azzardai sfoderando il fascino di questa nostra terra meravigliosa.

La vita deve essere vissuta. È fatta apposta. Dobbiamo provare, decidere e sbagliare. Cadere e imporci di andare avanti. Lottare. Poi ci si innamora e diventa difficile credere che tutto possa finire da un momento all'altro.

Fu così, mentre il profumo per Lisa veniva riposto di nuovo tra gli scaffali, che mi persi tra le parole di quella che avrebbe dovuto essere solo un'avventura.

Quella donna mi piaceva perché sapeva d'estate e di qualcosa che ha a che fare con la luce intensa che dura poco, come l'aurora.

Non fu difficile farmi affascinare da lei. Parlammo di sport e questo rappresentò un'assoluta novità. Suo padre era stato un atleta professionista e aveva vinto diverse competizioni a livello nazionale. Era un sogno, una donna bellissima che disquisiva con scioltezza di agonistica. Fin da bambina si era esercitata in palestra sotto l'occhio attento del padre che avrebbe voluto vederla competere ad alti livelli nell'atletica leggera, ma a sedici anni si era rotta un legamento e le speranze di salire sul podio svanirono. Mi raccontò del suo paese e di tutte le cose che le mancavano. Raccontava a ruota libera come se fossimo vecchi amici con il suo accento sempre sbagliato, sempre sdrucciolo. Più parlava più mi piaceva. La mia giornata era destinata a cambiare e pochi giorni dopo anche la mia vita. Il resto del mondo mi sembrò subito fatto da persone troppo attente a sé stesse e a cosa dicevano, mentre lei sapeva di fresco e spontaneo.

Io e Margherita ci siamo fermati davanti a un grande negozio. Ho spento il motore e sono sceso. Ho aperto la portiera dall'altro lato mentre mia figlia mi guardava con occhi giganteschi.

«Dai, vieni», l'ho invitata, allungandole una mano.

Le ho appoggiato le mani sulle spalle e l'ho condotta proprio davanti alla cassa. Le commesse ci guardavano curiose.

«Ecco, era proprio qui dove sei tu adesso, mentre io ero qui», spiegai facendo qualche passo.

«Ora girati verso la porta.» Margherita ha obbedito e per un attimo era davvero lei quella donna bellissima.

«Sono rimasto senza parole perché non avevo mai visto nulla di simile. Ma poco dopo è uscita e il mio cuore ha sussultato.» Avvicinandomi al corpo immobile di Margherita le ho preso le mani. «Non potevo lasciarla andare via! Così l'ho rincorsa», e tirandola dietro di me ho fatto finta di dribblare i passanti e ci siamo infilati nel bar.

«Vatti a sedere là», ho detto indicando quel maledetto tavolo.

E come un cretino mi sono messo a mimare la scena di un goffo ragazzo che si perde nel blu sconfinato di uno sguardo. Abbiamo ordinato due cioccolate calde e la mia pessima idea di presentarti i tuoi genitori stava iniziando a ipnotizzarti.

Mi hai chiesto com'era vestita e quanto zucchero avesse messo nella tazza. Mi volevi mettere alla prova? Poco importa, perché io ero preparatissimo e perché la verità non si dimentica, Margherita. Mai.

Quella sera ho raccontato tutto a Enrica. Ero esaltato perché io e te avevamo comunicato. Era la prima volta ed era strano perché, per farlo, avevo dovuto chiedere aiuto ai miei ricordi con tua madre, ma qualcosa si era mosso. Lo sapevo.

Mi avevi chiesto quale era stata la nostra prima conversazione.

«Hai gli occhi più belli e tristi che abbia mai visto.»

«Davvero le hai detto così? Ma certe frasi si trovano dentro i cioccolatini. Non posso credere che mamma ci sia cascata!»

«Ho fatto anche di meglio, le ho parlato ad alta voce scandendo le parole, e sai cosa mi ha risposto lei?»

«Cosa?»

«Che era straniera, ma non sorda.»

«Certo, tu sei una frana come corteggiatore!»

No, Margherita, io sono un duro, uno che non molla e, anche se a te non sembra vero, giuro che te lo dimostrerò, ma a modo mio. Lealmente.

Enrica mi aveva preso la mano nel buio, mentre io parlavo a raffica senza pause. Ho capito tardi che la sua stretta era paura che io andassi via. Tardi, come sempre.

«Domani vorrei portarla a visitare il palazzo del comune in cui ci siamo sposati e il locale dove abbiamo fatto il ricevimento, o forse prima posso farle vedere dove abbiamo cenato al nostro primo appuntamento. Poi ci sono un sacco di posti: dove le ho chiesto di sposarmi, dove ha lavorato in quegli anni, forse potrei contattare qualche sua ex collega, chissà se riesco a rintracciarle...» La stretta della mano di Enrica si è fatta più lieve, ma io ho creduto che si fosse semplicemente addormentata, vinta dalla stanchezza di un'altra giornata lunga e faticosa.

Ero eccitato. Buonanotte, Marghe.

La domenica successiva, giorno di chiusura dell'enoteca, ti ho invitato a cena. Era tutto perfetto. Ti avrei portata nello stesso piccolo ristorante, a pochi passi dal mio locale, di cui conoscevo i proprietari da molti anni. Enrica mi disse che era un'ottima idea e che lei, per lasciarci soli, si sarebbe organizzata con la sua amica Manuela.

È stata una serata molto particolare. Tutte le persone che mi conoscevano erano curiose di incontrarti. Avevo prenotato lo stesso tavolo di diciotto anni prima, lo stesso tavolo che da allora evitavo accuratamente. Dalla cucina una processione di cuochi e camerieri solo per venire a vederti, a sbirciare com'eri. E tu eri bellissima, come tua madre, e guardarti era uno spettacolo, ma c'era qualcosa di diverso in me rispetto ad allora. La voglia di mostrare tua madre al mondo intero si era trasformata in desiderio di tenerti nascosta.

«Mamma mia, tra qualche anno questa non ti farà dormire!»

Be', non è che ora fosse tanto diverso.

Abbiamo ordinato lo stesso menu di allora e tu hai assaggiato anche il vino. Ti ho parlato di lei. Non era facile andare a scavare nella memoria cose che avevo sigillato, ma per te avrei fatto questo e molto altro.

Quando siamo tornati a casa, Enrica ci aspettava in pigiama davanti alla televisione.

«Non sei uscita?»

«Alla fine Manuela non ha potuto. A voi com'è andata?»

«Benissimo», abbiamo detto in coro. Benissimo, Margherita. Benissimo!

Dopo che sei andata in camera tua, ho raccontato a Enrica quello che avevamo fatto insieme. Non stavo nella pelle. Volevo condividere tutta la mia gioia.

«Non credi di torturarti facendo così? Stai rivivendo la parte più bella del tuo passato, prima o poi dovrai affrontare anche il dolore degli anni bui. Sei sicuro che sia necessario?»

«Non vedo altra strada.»

«Nessun'altra soluzione che rivivere il vostro primo appuntamento?»

«Ho attraversato dieci anni di puro inferno, Enrica, e tu lo sai. Come credi che stia ora? Sono un uomo disperato, posso fare qualsiasi cosa... e la farò!»

I suoi occhi si sono chiusi e le sue mani si sono allontanate.

La distanza è un concetto relativo. Se è astronomica diventa affascinante, se geometrica è elementare, ma quella tra me e te in questa stanza sembra spaventosa.

Piero ha sposato una ragazza polacca dalla quale ha avuto due figlie. Dopo dieci anni di matrimonio la moglie decide di tornare a vivere a Poznań portando con sé le due bambine. Dal 1999 a oggi Piero ha rivisto le figlie solo una volta.

Un giorno sono rientrata a casa e ho trovato Enrica sdraiata per terra in salotto con gli occhiali da sole. Mi sono mossa piano per paura di scoprire qualcosa che non mi piaceva. Che fosse svenuta o addirittura morta. Ma più mi avvicinavo più notavo che il suo corpo si muoveva.

«Stai bene?»

«Certo, mi sto solo rilassando.» Poi dopo una piccola pausa ha aggiunto: «Vieni qui anche tu, ma prendi gli occhiali da sole. Sono fondamentali».

Soffocando l'impulso di fuggire a gambe levate, ho eseguito l'ordine. Ho inforcato gli occhiali e mi sono sdraiata accanto a lei.

«Ora respira profondamente e pensa a un cielo azzurro sconfinato. Respira ancora come se dovessi portarti via tutta l'aria del mondo.»

«È una specie di yoga?»

«Sì, diciamo yoga casalingo e fai da te, ma utile per non perdere l'equilibrio.»

Ho pensato che l'equilibrio a cui si riferiva avesse a che fare con lo stare in piedi, quando hai le vertigini perché la testa ti gira.

Lei mi ha smentita.

«La prima volta, l'ho fatto quando ho conosciuto tuo padre.»

«Ti sei sdraiata per terra?»

Gli adulti sono tipi strani.
«In un certo senso sì, ma lui se n'era già andato via. Lo avevo appena conosciuto e avevamo passato la notte insieme.»

Oddio, non avrà mica intenzione di iniziare una conversazione sul sesso, le precauzioni e tutto il resto, portando come esempio lei e mio padre?

Cercando di sviare il discorso e di metterla in imbarazzo ho chiesto: «Avete passato la notte insieme appena conosciuti?».

«Sì, ma detto così ha tutto un altro significato. Ci eravamo appena presentati e lui ha passato la notte a casa mia, ma è stato seduto in cucina a parlare di una donna che amava molto e che non avrebbe mai smesso di amare, e poi è svenuto sul divano. Io sono rimasta a vegliarlo perché non riuscivo a prendere sonno.»

Mi sono girata su un fianco.

«Appena l'ho visto, proprio nell'esatto istante in cui i miei occhi hanno incontrato i suoi, ho sentito un'energia pazzesca, come se mi avesse colpita un fulmine, e ho iniziato a balbettare. Capisci? Avevo preso una laurea con il massimo dei voti, un dottorato e avevo appena vinto un concorso come ricercatrice all'università. I miei sogni si stavano avverando e avevo camminato solo sulle mie gambe. Le idee per il mio futuro non mi mancavano ma lì, davanti a lui, mentre mi versava il vino, mi sentivo morire e invece di guardare Francesco fissavo il bicchiere che tenevo in mano, sperando che la forza del pensiero avrebbe vinto sulla mia tremarella. L'ho spiato tutta la sera, mentre era girato o conversava con gli altri, e quando la serata è finita ero talmente innamorata che, se non lo avessi almeno sfiorato, il mio corpo si sarebbe frantumato.»

«Cos'hai fatto?»

«L'ho invitato a casa mia. Se ci ripenso mi sembra incre-

143

dibile e non sai quante volte mi sono data della stupida durante il tragitto, soprattutto perché lui non ha accettato subito e ho dovuto anche insistere. Ti rendi conto? L'amore non ti trasforma in ciò che non sei, ma in ciò che non hai mai pensato di diventare. E io, in un attimo, ero diventata seducente e caparbia ma anche un filino sfacciata. Per questo motivo, quando lui ha accettato, ho deciso che avrei giocato il resto della partita in difesa, ma quando ha iniziato a raccontarmi di questo suo vuoto nel cuore ho conquistato direttamente la panchina. Sapevo di essere fuori e che non avrei mai potuto competere, così l'ho lasciato parlare. Era un fiume in piena di parole d'amore, come il protagonista di un romanzo, forte e coraggioso ma anche impotente e deluso. Soffriva, Margherita, come soffrono gli uomini, chiusi nel loro silenzio, nelle risposte fornite solo con il movimento della testa e gli angoli della bocca, nei respiri che non si portano mai a termine perché si spezzano a metà. Era la cosa più delicata e trasparente che avessi mai visto e mentre a ogni sua struggente parola io mi stavo innamorando, lui si perdeva sempre di più nel suo labirinto.»

«E poi?» Ero ipnotizzata, era molto meglio di un romanzo.

«Ho fatto quello che a noi donne di solito riesce bene: l'ho ascoltato fino alla fine delle sue parole. Poi l'ho lasciato dormire fino al mattino, guardandolo a lungo senza riuscire a prendere sonno. Infine un caffè alla luce del sole come se nulla fosse e la lunga preghiera che, se fosse uscito da casa mia, almeno rimanesse nella mia vita. Avevo un vuoto allo stomaco perché sapevo di averlo perso prima ancora di averlo avuto.»

«Era ancora innamorato della mamma?» ho chiesto, incredula e stupita.

Enrica si è voltata e, appoggiando la sua mano sulla mia, con un filo di voce ha detto: «No, Margherita. Stava parlando di te».

144

La sue parole mi hanno stordita come se mi avesse colpita in testa con un tacco a spillo e le mie poche certezze sono crollate una a una. Ho appoggiato la testa al pavimento e mi è venuto da piangere, così ho capito perché mi aveva fatto indossare gli occhiali da sole.

Si allineano le carte coperte su di un tavolo. Poi le scopri una alla volta finché non ne trovi un'altra uguale. Ci vuole fortuna e memoria per trovare esattamente ciò che cerchi.

«Perché hai deciso di fare il chimico?»

«Questa sì che è una bella domanda! Credo sia per la paura che ho sempre avuto dell'ignoto. La scienza mi dà sicurezza, perché mi dà sempre una risposta.»

«È proprio così che descriverei la mia passione per la musica!» Ero sbalordita.

«Non mi stupisce, sai? La chimica e la musica hanno in comune una cosa davvero speciale.»

«Cosa?»

«I brividi!»

Lì, sdraiata per terra e con gli occhiali da sole sul naso, iniziavo a sentirmi a mio agio.

Della fisica ammiriamo le leggi che governano il cosmo e i corpi celesti, della biologia la capacità di regolare un battito cardiaco a un respiro, ma solo la chimica sa dare un nome alla natura e solo la musica ci permette di smettere di fare domande.

Passavo un sacco di tempo con mio padre in quel periodo. Mi portava in ogni luogo che aveva visto con mamma e mi raccontava di lei cose che nemmeno immaginavo.

È incredibile pensare che i tuoi genitori fossero vivi prima che tu li abbia conosciuti, che avessero una vita, delle difficoltà, dubbi e sogni. Ho scoperto che mamma arrossiva spesso, che le piacevano da pazzi i grissini e che mio padre invece di comprarle dei fiori andava dal fornaio. Che è stato lui a insegnarle a guidare perché quando si sono conosciuti, nonostante lei avesse già venticinque anni, non aveva la patente, ma non le piaceva che l'andassero sempre a prendere. Per questo una delle cose che mi ripeteva sempre era proprio questa: «Impara a guidare appena possibile».

Poi il pensiero dell'incidente mi ha a messa a disagio, ho trattenuto il respiro mentre gli occhi si sono riempiti di lacrime, perché se mamma non avesse mai imparato a guidare, ora sarebbe ancora viva.

Ho scoperto che lui le ha anche insegnato a nuotare e che poi l'ha fatto anche con me.

In quei giorni mi ha portato in un parco non molto lontano da casa. Io ho avuto subito la sensazione di essere già stata in quel posto.

«Quando eri piccola e avevamo un po' di tempo ti portavo qui», mi ha detto e avvicinandosi a un'altalena ha continuato: «Un giorno mi hai fatto prendere un bello spavento sai? Te lo ricordi?».

Io ho scosso il capo, così lui mi ha raccontato di quando per scendere da lì avevo deciso di buttarmi di testa. Sono scoppiata a ridere perché mi sembrava davvero stupido.

«Quanti anni avevo?» ho chiesto.

«Pochi, tesoro», mi ha risposto. «La colpa è stata mia, mi ero distratto solo un attimo.» Poi con un velo di tristezza ha aggiunto: «Non capiterà mai più».

«Vediamo chi arriva più in alto? O sei troppo vecchio e pesante per l'altalena?»

«Ma come ti permetti? Tieniti forte perché da lassù soffrirai di vertigini!» E come se fossimo due compagni di scuola abbiamo iniziato a dondolare insieme. Mio padre rideva come un ragazzino. È simpatico e in forma per avere tutti gli anni che ha.

Chissà quanti sono poi, e chissà chi è davvero mio padre? Mi rendo conto che di lui non so niente. È come conoscere qualcuno di cui però scopri di non avere nessuna notizia da moltissimo tempo. Ed è strano che questo qualcuno sia tuo padre.

Una mattina a scuola mi sono inventata la scusa del mal di pancia per non fare ginnastica. L'insegnante mi ha mandato in classe, dove Mattia era rimasto a seguire un corso di teatro alternativo all'ora di educazione motoria. Era il corso di interpretazione teatrale e si parlava di Romeo e Giulietta.

«Perché non facciamo uno strappo alla regola?» ha chiesto l'insegnante. «I maschi fanno Giulietta e le ragazze Romeo?»

L'abbiamo guardata come se avesse detto di essere un'extraterrestre.

«Fantastico!» ha esclamato Mattia. «Io sono pronto... chi vuole essere il mio Romeo?»

Una cosa che non avrei mai fatto. Mai e poi mai. Invece un attimo dopo ero in piedi davanti a lui a mormorare: «*Ride delle cicatrici, chi non ha mai provato una ferita. Ma, piano! Quale luce spunta lassù da quella finestra? Quella finestra è l'oriente e Giulietta è il sole! Sorgi, o bell'astro, e spengi la invidiosa luna, che già langue pallida di dolore, perché tu, sua ancella, sei molto più vaga di lei. Non esser più sua ancella, giacché essa ha invidia di te. La sua assisa di vestale non è che pallida e verde e non la indossano che i matti; gettala. È la mia signora; oh! è l'amor mio!*» chiedendomi se forse era vero che spesso delle cose conosciamo solo una versione. Quella più comoda.

Un giorno di qualche anno prima, mamma mi aveva lasciata da sola a casa perché era andata ad accompagnare Hans alla stazione. Non era molto distante, ma lei sicuramente aveva aspettato fino a quando il treno non era sparito alla sua vista. Quando rientrò c'era uno strano odore di bruciacchiato e di fritto ovunque. Io ero seduta sul divano con un piatto di patatine davanti. Lei iniziò a urlare mentre spalancava tutte le finestre.

«Non c'è da stupirsi che tuo padre non ti voglia!» urlò, mentre io balbettavo delle scuse sul fatto che avevo fame e che non avevo fatto nulla di male.

«Meno male che ci sono io, altrimenti che faresti da sola al mondo?»

«Vivrei di patatine fritte, finalmente!» Un colpo fortissimo e la sua mano si schiantò sulla mia guancia. Ricordo i suoi occhi inferociti e potenti dentro i miei.

Dondolai un po' mentre la mia pelle si arrossava e un grosso vuoto si impadroniva di me.

Qualche ora più tardi, mamma entrò nella mia stanza. «Mi dispiace di averti colpita, tesoro. Mi sono spaventata. Se ti fosse successo qualcosa mentre ero fuori? Cosa avrei fatto? Come avrei potuto vivere con un tale dolore? Devi promettermi di essere più responsabile e di non toccare il fuoco quando non c'è qualcuno in casa. Intesi?»

La guardai uscire. Nessuna parola su quello che mi aveva detto di mio padre. Poi chissà a quale padre si riferiva. Non si era nemmeno accorta che avevo tagliato le patate con il coltello per la carne, era sempre attenta a distogliere lo sguardo appena in tempo per non dover mai vedere quale fosse il vero problema.

Quella sera, dopo che mi ero messa a letto, mio padre è sbucato dalla porta chiedendo se volessi un bicchiere d'acqua, poi mi ha dato la buonanotte e ha spento la luce. Lì, da sola al buio, ho ripensato alla mamma e alla mattina dell'incidente. Era triste perché ultimamente litigava spesso con Friedrich. Credo che lui non volesse trasferirsi definitivamente a casa nostra, mentre per lei essere una famiglia significava dormire sotto lo stesso tetto. Ricordo di aver sperato che lui non la lasciasse; mi ero messa in testa di parlargli, di chiedergli di resistere. Lo confidai a Ingrid, un giorno mentre tornavamo dal Café Safran.

«Io non lo farei, se fossi in te», mi disse.

«Perché?»

«Perché sei ancora una bambina e ti devi occupare delle cose adatte alla tua età. Tua madre sa badare a sé stessa e deve diventare grande da sola.»

Mamma doveva ancora crescere? Ma se era già grandissima! Ho ripensato mille volte a quella frase perché per la prima volta avevo avuto la sensazione che Ingrid non condividesse le sue scelte, ma non lo avrebbe mai ammesso, di questo ero certa.

Ho portato le coperte fino agli occhi e nel buio mi sono messa a singhiozzare. Ho rivisto mamma così come la ricordavo, davanti a una tazza di caffè bollente, mentre guardava fuori dalla finestra e io addentavo i miei biscotti allo zenzero raccontandole quello che avevo sognato. Aveva annuito appena perché forse non aveva dormito abbastanza. Non avrei dovuto prendere le mie cose e andare a scuola senza fare il minimo rumore e non avrei dovuto permetterle di andare al lavoro. Sarei dovuta restare lì con lei. Era troppo stanca per guidare.

Le lacrime hanno invaso le guance, la bocca e le orecchie e quando ero sul punto di esplodere, ho morso le lenzuola per continuare a non fare rumore.

Il dolore e la vita sono fratelli gemelli separati alla nascita. Mentre lei scorre, lui ti blocca. La vita ti sorprende, il dolore invece ti prende alla sprovvista. Esiste un'intera parte della medicina che, smesso di curare la vita, si occupa di accudire il suo dolore, per restituire dignità e calore o forse solo per sedarlo una volta per tutte.

Una domenica mattina, verso le undici, la luce vivace del sole ci stava annunciando che l'inverno era ormai finito. Mi sentivo bene e pochi istanti dopo ho compreso che valeva anche per te perché il silenzio di casa era interrotto dal suono dell'archetto che scorreva lungo le corde. Enrica era uscita a correre, io leggevo il giornale e tu stavi in camera tua a fare ciò che più ti piaceva.

Apprezzare quello che abbiamo anche quando ci sembra troppo. Anche questa è la vita...

Mi sono avvicinato alla tua porta socchiusa e ti ho spiata per un po'. Eri identica a tua madre e dopo un istante eri davanti a me.

«Perché non entri?»

«Non volevo disturbarti.» E timidamente mi sono seduto sul bordo del tuo letto.

Prima di rimetterti a suonare, hai soddisfatto alcune mie curiosità. Mi hai spiegato come si chiamavano tutte le parti che compongono un violino e che per costruire un buon archetto ci vuole del crine di cavallo, perché è morbido e resistente. Poi mi hai fatto notare come il ponticello permetta al suono di entrare nella cassa armonica e tenga le corde separate in modo da toccarne una sola alla volta.

«Ora silenzio in sala», hai annunciato con un sorriso, mentre io mi chiedevo se non avessi caldo con quegli abiti pesanti addosso. Dovevo ricordarmi di dire a Enrica che avevi bisogno di magliette leggere.

Ho chiuso gli occhi perché tutto quello che era stato non mi piombasse addosso. Ci sono così tante cose che non sai e che non voglio che tu sappia mai. Ti proteggerò da loro, a qualunque costo.

Tua madre era diventata autoritaria e fredda. Non è vero che non avevamo nessun problema. Dopo la tua nascita, io avevo perso tutto il mio potere, giorno dopo giorno. Tu eri solo sua. Ti accudiva, ti nutriva, ti portava in giro e ti insegnava la sua lingua. Avevamo smesso di fare l'amore, di tutta la passione di cui eravamo così orgogliosi erano rimasti solo sporadici incontri prima e vuoti incolmabili poi. Si era trasformata in un'altra persona, come se una moglie e una mamma non potessero convivere in una sola donna. Mi voleva lì solo come spettatore per poter spostare l'ordine delle cose, e quella distanza tra le nostre origini la colmavi solo tu. Spezzata in due, mezza italiana e mezza no. Amavo tua madre, Margherita, ma la sentivo lontana, e riuscire a toccarla era diventato difficile. Quella statuaria creatura lunare non esercitava più il suo magnetismo su di me. Improvvisamente mi mancavano il caldo, le curve morbide e le imperfezioni. Ma c'eri tu, e io non avrei mai fatto nulla per perderti. Vi avrei protette, volevo farlo. Dovevo solo trovare il modo di parlare e di superare quel vuoto tra noi, quello che in fondo colpisce moltissime coppie dopo la nascita di un figlio. Non eravamo diversi dagli altri, anche se alla fine lo siamo diventati.

Una sera uscii di casa per andare in enoteca umiliato e rabbioso. Era sabato e tu avevi trascorso la giornata con i miei genitori. Avevo cercato Angelika. L'avevo desiderata e speravo che un atto d'amore in un pomeriggio qualsiasi ci riportasse indietro a tutte le volte in cui, anni prima, una giornata rubata l'avremmo sbranata di passione.

Fu freddo e umiliante quel suo no pronunciato senza scuse, guardandomi dritto negli occhi, lasciandomi senza possibilità di replica.

Strinsi i pugni, presi le chiavi dell'auto e andai a lavorare prima del previsto.

Quella sera il locale era pieno. Avevamo tutti i tavoli prenotati per due turni. Ne fui felice perché lavorare mi avrebbe distratto. Verso fine serata, quando ormai tutti avevano saldato il conto, mi accorsi che Andrea era seduto al tavolo con due ragazze che avevo servito. Sorrisi perché nelle pubbliche relazioni con il sesso femminile il mio socio non aveva rivali. Quelle due giovani donne sarebbero sicuramente tornate. Decisi di stare alla larga perché, per quanto non ci fosse nulla di male nel fare quattro chiacchiere dopo cena, sentivo puzza di bruciato. Così mi nascosi dietro il banco a riordinare i bicchieri.

«Francesco, apri una bottiglia e vieni qui con noi!»

Feci finta di non aver sentito, ma non servì a nulla. Andrea si alzò, afferrò un Morellino del 1998 e mi trascinò al tavolo.

«Ragazze, questo è il mio socio!»

Due larghi sorrisi mi accolsero in modo intenso e innocente.

In fondo non stavo facendo nulla di male, anche se non riuscivo a non pensare a quello che avevo lasciato a casa. Andrea abbassò la serranda e così quattro anime inquiete si divisero una bottiglia di vino rosso raccontandosi cose che forse avevano confessato poche volte prima di allora.

Raccontiamo, descriviamo fatti e avvenimenti, enfatizziamo dettagli e ragioniamo per ricavarne logiche deduzioni. Ce lo impongo-

no a scuola, lo ostentiamo per essere seduttivi, lo facciamo per difen-
derci e farci comprendere. Che siano fatti reali o immaginari, frotto-
le o la dura verità, poco importa. Quello che ci piace è attirare l'at-
tenzione.

Parlai di voi, di quanto foste meravigliose e di quanto mi sentissi realizzato e felice. Sperai anche di essere convincente. Inventai tutto per tenermi alla larga dai guai, ma soprattutto perché avevo il disperato bisogno di pensare che poteva ancora essere così.

La voce di Angelika spezzò tutto.

«È almeno un'ora che ti chiamo.»

Un misto di imbarazzo e incredulità mi assalì. Mia moglie era comparsa dal nulla, strisciando sotto la serranda per seguire una luce che poteva avere troppe spiegazioni da dare.

Noi eravamo lì, due uomini e due donne avvolti da quella complicità che solo la mancanza di confidenza può creare.

«Angelika», mormorai, ma lei salutando tutti se ne andò.

«Seguila», mi ordinò Andrea e io come una marionetta che stava in piedi a stento obbedii.

La rincorsi fino al parcheggio mentre la mia testa mi stava implorando di trovare qualcosa da dire che non peggiorasse la situazione. Non stavo facendo nulla di male, ma questo non sarebbe bastato. Ne ero certo.

Così feci la cosa più stupida. Attaccai.

«Dov'è Margherita? Non l'avrai lasciata sola, spero?»

«E anche se fosse? A te cosa te ne importa? Margherita è mia figlia, tu torna pure a divertirti che a lei ci penso io.»

«Non dire stronzate, Angelika.»

«Stronzate? Ma non ti vergogni? Te ne stai lì a fare il single con quel cretino del tuo amico, mentre hai una famiglia a casa ad aspettarti!»

«Andrea non è un cretino e io mi stavo solo rilassando un

po' dopo una serata di lavoro. Sì, lo so che ho una famiglia a casa, ma non sono sicuro che mi stesse aspettando!»

«Sei un povero scemo, Francesco! Tornatene pure dalle tue amichette, che di Margherita mi occupo io!»

«Angelika, aspetta...» Ma lei era già salita in auto mentre il freddo della notte mi copriva di vergogna.

So di aver sbagliato e so che, se solo potessi tornare indietro, sarebbe tutto diverso. Però il prezzo che ho pagato è stato troppo alto. Ho perso te perché eri l'unica cosa che poteva davvero ferirmi e tua madre lo sapeva benissimo. Passavo ore accanto al tuo lettino. Mi sembravi un miracolo inspiegabile. Eri capitata proprio a me e di questo dovevo rendere grazie solo a tua madre.

Poi un giorno siete sparite senza dire nulla, clandestine e trasparenti. Tu eri anche mia. Tu avevi bisogno di me e io di te. Certe regole sono sacre, non si possono infrangere, perché le conseguenze terribili di questo strappo le hai pagate soprattutto tu.

Non ho mai augurato il male a tua madre, anche nei momenti peggiori, quando la rabbia mi trasformava in un altro, ho tenuto il più possibile lontani quei pensieri ma ora che sei qui non posso fare a meno di chiedermi: ti avrei mai rivista, se lei fosse ancora viva? Mi avresti mai cercato appena compiuta la maggiore età? Saresti stata mossa solo dalla curiosità di sapere chi fossi, o da qualcosa di più profondo? Sarei stato il primo o l'ultimo dei tuoi pensieri? In fondo io non ero altro che un estraneo che si era preoccupato di darti il nome della propria mamma, e la tua testa di bambina non era certo riuscita a custodire quei pochi ricordi che avevamo.

Mentre la tua musica saliva fino al soffitto e le mie palpebre iniziavano a tremare ho pensato ad Angelika, al male

154

che mi aveva voluto e a tutta la forza che aveva trovato per tenermi lontano da te; ma proprio io, che avevo giurato che non mi sarei fermato davanti a nulla, avevo vinto la mia guerra solo perché l'avversario era caduto prima del tempo.

Si chiama rispetto, Margherita. È come un boomerang che ti trova sempre.

«Parlami di mio padre.»

Enrica si è girata quasi spaventata dalla mia richiesta.

«Passiamo tanto tempo insieme e lui mi racconta di tutto quello che ha vissuto con mamma, è molto bello scoprire cose di lei che non so, ma io una mamma l'ho avuta. È sui papà che ho le idee confuse.»

«Oh mio Dio, Margherita. Non sai quanto vorrebbe sentire queste parole. Se glielo raccontassi, non so neanche se mi crederebbe. Tuo padre è buono, distratto e molto intelligente. Non ama le sorprese e adora il vino rosso. Si addormenta solo a pancia in su e odia vedere la partita alla televisione. O allo stadio o nulla. Crede nell'amicizia e condivide ogni segreto con Andrea. Poi, da quando ci sei tu, ha imparato anche a rilassarsi un po'...»

«Come vi siete conosciuti?»

Enrica mi ha sorriso e con un piccolo gesto della mano mi ha chiesto di avvicinarmi come se il discorso fosse troppo lungo e bisognava accomodarsi.

Mi ha allungato gli occhiali da sole e ci siamo sdraiate sul tappeto in salotto, sguardo al soffitto. È stato lì che, inciampando nell'emozione, mi ha parlato di quei loro primi momenti. Quelli in cui lei non sapeva se scappare o restare, ma qualcosa non le permetteva di muoversi; in cui in laboratorio aspettava tra un esperimento e l'altro una sua telefonata e di quando aveva lasciato arrostire delle colture cellulari nel forno, rischiando di far saltare in aria l'intera università perché lui l'aveva invitata a uscire. Era tenera e arrossiva descrivendo i suoi tentativi di sembrare fredda e distaccata mentre il cuore le batteva a mille all'ora ed era terrorizzata di perdere i sensi prima che lui decidesse di baciarla.

«Poi una sera, verso le dieci, mi ha chiesto di andarlo a prendere all'aeroporto. Andrea era impegnato con l'enoteca e tua nonna era troppo debole per muoversi. Aveva pensato a me: esaurite le sue persone importanti, ero arrivata io.

«Ho parcheggiato davanti all'aeroporto con un'ora di anticipo. Un giorno la capirai da sola l'ansia di un appuntamento così importante. Lui tornava dalla Danimarca, il luogo di cui parlava spesso, dove vivevi tu. Aveva lo sguardo basso e quando è salito in auto è rimasto in silenzio con gli occhi fissi davanti a sé per un tempo indefinito. Avrei voluto sparire, sai? Mi sentivo inadeguata e sciocca. Io, così presa dai miei articoli e congressi scoprivo che esisteva un altro mondo, quello delle persone che soffrono pur essendo sane. Guardavo il suo profilo mentre lui viaggiava chissà dove, avvertivo il suo odore e la mia voglia di abbracciarlo mentre lui cercava di non piangere davanti a un'estranea. Eravamo lontani e diversi, ma io non sarei voluta stare in nessun altro posto se non lì seduta in macchina, accanto a lui. Il suo mondo cadeva a pezzi, mentre il mio perdeva il suo senso. Tutto, Margherita, da quel momento mi apparve ridimensionato, diverso. Non ero più arrabbiata con mia madre per la sua ossessiva insistenza, non biasimavo mio padre per la sua distrazione e nemmeno il mio capo mi sembrava poi tanto stronzo. Pensavo alle persone non più come ai singoli individui che ti trovi davanti, ma come a una moltitudine di ruoli da sostenere e tutto mi sembrava più facile da perdonare. Mi sentivo strana ma migliore mentre lui era ancora lì a fissare quel vuoto davanti a sé.»

Poi voltandosi verso di me e stringendomi la mano ha continuato: «Ti accorgerai presto che i momenti in cui sei davvero cresciuta li potrai contare su una sola mano: quella sera era uno dei miei».

«Cos'è successo dopo?»

«L'ho portato a casa in assoluto silenzio, ma ti assicuro che ero più sfinita di quando parlo ore davanti a una platea. Tuo padre sapeva mettermi al tappeto e quando è sceso dalla macchina avevo una sola certezza.»

«Quale?»

«Ero perdutamente innamorata di lui.»

Siamo rimaste in silenzio per alcuni istanti perché anch'io, come lei, ero certa che quell'amore fosse lì dentro alla stanza insieme a noi e *papà* iniziava a prendere colore nella mia testa.

Poi mi sono girata e l'ho pregata di continuare. Lei ha preso fiato e mi ha raccontato del loro primo bacio una domenica mattina. Lui l'aveva invitata a fare una passeggiata. Forse per allontanare il nodo che aveva in gola mi ha parlato dell'incontro al supermercato, poco dopo averlo conosciuto. Una mattina si era data malata al lavoro e si era fatta trovare nel negozio dove Andrea una volta le aveva detto che andavano a rifornirsi. Aveva fatto i conti ed era certa che quello fosse il giorno in cui la spesa doveva farla mio padre. Così si era appostata tra gli scaffali e, per paura di non essere credibile, aveva riempito il carrello di tutto quello che le capitava tra le mani e appena lo aveva visto lo aveva «distrattamente» tamponato.

«Nooo!» ho urlato. «E lui ci ha creduto?»

«Non l'ho mai saputo e vorrei morirci con questo dubbio, quindi non ti azzardare a chiederglielo o ti faccio mangiare le bietole! Intesi?»

«A patto che tu prometta di ridurre le tue barzellette!»

«Cosa? Ma guarda questa!»

«Dai, scherzo! Pensavo che gli uomini sono proprio stupidi. E se ti avesse vista qualcuno del lavoro?»

Lei ha scrollato la testa alzando le spalle, ha sorriso e ha continuato: «Ne sarebbe valsa la pena ugualmente. Tuo padre mi ha aiutata a caricare la spesa in auto chiedendomi se vivevo in una comunità, data la quantità di sacchetti. Poi mi ha accarezzato il viso».

«Oh mio Dio! Ma è una schifezza... Ti ha fatto una carezza? Ma è patetico! Le carezze si fanno ai cani o ai bambini! Devi assolutamente cambiare versione, inventati qualcos'altro, ti prego. Fallo per me o sarò costretta a prenderti in giro per tutta la vita.»

«Forse hai ragione, Marghe, ma ancora oggi, quando passo di lì, il cuore mi batte forte. Pagherei per rivivere quel momento... ma giusto per rimanere in tema: il ragazzino delle margherite che fine ha fatto?»

Uno a uno. Palla al centro.

Siamo rimaste ancora un po' lì distese in silenzio a pensare a mio padre e a Mattia.

Chissà se è vero che la vita prima o poi trova il suo senso, perde la sua retorica e inizia a scorrere proprio nelle tue vene?

Finalmente è arrivato il giorno della gita scolastica. Non capivo perché ci fosse tutta questa attesa, la maggior parte dei miei compagni sembrava non fosse mai uscita di casa e aspettasse questo evento per aggiungere la parola trasgressione al proprio vocabolario. La mia strampalata vita di eterna forestiera mi venne in aiuto ancora una volta.

Le insegnanti che avevano aderito al progetto e dato la loro disponibilità ad accompagnarci ci avevano chiesto di far firmare una specie di permesso da uno dei genitori e di riportarlo insieme ai soldi per il pullman e il pranzo. Era una giornata intera, partenza alle sei del mattino e rientro verso le dieci di sera. Destinazione Torino, città d'arte, di cinema e di egizi. Cosa c'entrassero gli egizi con Torino rappresentava un mistero. Avevo sottoposto la circolare a mio padre che l'aveva firmata con entusiasmo accompagnando l'evento con una serie di commenti su quanto fossero belle queste iniziative, assolutamente da sostenere, e di quanto sarei tornata entusiasta. Era strano. Io sorridevo poco e ancora meno avevo voglia di parlare dei miei sentimenti ma lui, seduto in cucina, con quel tono esageratamente alto e allegro mi faceva tenerezza. Comunque anche se mi avesse negato il permesso non avrei fatto una piega. Almeno credo. Ma mio padre evitava di impedirmi di fare esperienze. Sembrava impaurito dai no.

La verità è che aveva ragione. Le gite sono esperienze indimenticabili e quello è stato, credo, il giorno più bello della mia vita di quindicenne. Io e Mattia ci siamo dati il primo bacio, poi il secondo, il terzo, il quarto e almeno altri mille.

Eravamo seduti più o meno a metà pullman. Mi aveva tenuto un posto accanto a lui anche se non era necessario perché non avrei saputo dove altro sedermi. Ho capito solo dopo che, però, non ero l'unica che voleva occupare quel sedile.

Abbiamo chiacchierato per un po', poi la stanchezza della levataccia e il rollio del motore mi hanno fatto appoggiare la testa sulla sua spalla così, come se fosse normale, come se lui fosse quello che è, qualcuno di cui fidarsi. Mi ha detto: «Sei bellissima», io ho aperto gli occhi e lui mi ha baciato. Un attimo, un breve contatto tra ciò che ero io e ciò che era lui, un istante per apprezzare qualcosa di magico. I suoi occhi sopra i miei e poi, come se tutti fossero spariti e con l'emozione che mi faceva formicolare tutta la pancia, ho sussurrato: «Ancora uno». Il suo sorriso, il mio rossore e l'asfalto hanno continuato a scorrere via.

Torino è la città più bella del mondo, si capiva già dalla piazza del parcheggio e in aria sembravano volteggiare tutte le farfalle che avevo nella pancia. Mi prese una gran voglia di ridere. Cosa abbastanza insolita.

Abbiamo visitato il Museo del cinema, pranzato in pieno centro, ammirato i palazzi e le chiese e le meraviglie antiche dell'Egitto che non mi sembravano più tanto fuori luogo. Sempre io con Mattia, lui che mi offriva l'acqua direttamente dalla sua bottiglia come se fosse normale. Io e solo io che potevo berla. Margherita e Mattia, che strana coincidenza.

Il viaggio di ritorno l'ho trascorso con la mano intrecciata alla sua.

«Mi piace di più quando siamo seduti.»

«Perché?»

«Perché se ti devo proprio trovare un difetto, è che sei un filino alta!»

Gli sorrisi e sapevo di poterlo fare. Durante la giornata non si era mai allontanato troppo da me, quindi non doveva essere un problema tanto serio.

Lui era Mattia, il mio Mattia. E grazie a lui ora io mi sentivo un po' più Margherita. Difficile da spiegare, ma bellissimo da provare.

Cosa strana quella di fare la propria conoscenza.

Appena rientrata a casa quella sera ho preso il violino e ho suonato come una pazza, senza tregua, per più di un'ora. L'archetto sembrava più in forma di me, strofinava le corde come se le volesse prendere in giro e io chiudevo gli occhi per lasciarmi abbracciare dalla musica ripensando alle parole, alle sue mani, e per stare lontana dalle mie cicatrici.

«Amore» è una parola romantica, emotiva e sensuale. Colora la vita, riempie di buoni propositi e ci dà così tanto entusiasmo da trasformarci in ciò che abbiamo sempre desiderato. Coraggiosi. L'amore fa bene anche se innamorarsi spesso ha tutto un altro sapore. Ci spaventa.

Anna, italiana. L'ex marito libanese ha portato nel suo paese il figlio Francesco quando aveva solo sei anni. Dopo una lunga battaglia senza poter vedere il suo bambino per moltissimi mesi, Anna ha ottenuto il permesso di incontrarlo per qualche ora, qualche volta all'anno.

Avevo deciso.

La domenica successiva ti avrei portato dove io e tua madre ci eravamo sposati e per me avrebbe significato rivivere quel giorno, uno dei più felici della mia vita, purtroppo.

Erano le 10.30 del 3 dicembre 1996. Io e Andrea eravamo belli come mai prima. Lui teneva il bouquet di fiori perché a me sudavano le mani.

«Le fedi? Le hai prese?»

«Oddio, no!» Mi si gelò il sangue nelle vene, poi lui mi diede una pacca sulla spalla. «Se fosse vero tornerei di corsa a prenderle a costo di testimoniare in un bagno di sudore, ma per tua sfortuna me le sono ricordate e tu fra mezz'ora ti sposi, caro mio.»

La sera prima ci eravamo chiusi dentro il locale e lui aveva stappato una bottiglia di Amarone e mentre avvicinavamo i bicchieri gli chiesi: «Credi che stia facendo la cosa giusta?».

«Credo che non lo saprai finché non la vedrai domani. Spero solo che tu non ti trasferisca mai all'estero, perché mi mancheresti, tollero a fatica che una bionda si sia messa tra noi...»

Pensavo che sarebbe stato un addio al celibato originale, io e il mio migliore amico chiusi tra quattro mura a bere buon vino, ma dopo un'oretta bussarono alla saracinesca e tutti gli altri compagni di scuola, amici persi e ritrovati, ristoratori del quartiere entrarono come uno tsunami. Fu una sorpresa bellissima vederli tutti lì e tra una presa in giro e l'altra passammo la notte a giocare a Risiko come se il giorno dopo mi aspettasse solo un banale compito in classe, e non la scelta di una vita.

Ora quel giorno l'avrei rivissuto insieme a te, Margherita.

Ho fermato l'auto sullo spiazzo del palazzo del comune e sono sceso. Tu mi hai seguito. Guardavi in alto, forse in cerca di tua madre. La sala dedicata alle cerimonie si trovava al primo piano.

Siamo entrati e lì proprio sulla porta ho rivisto noi quando, dopo le firme di rito, ci siamo stretti le mani e siamo corsi contro un muro di riso.

Ho afferrato il tuo braccio e tu non hai opposto resistenza.

«Immaginati cesti di fiori bianchi lungo tutta la scalinata e dei drappeggi di organza alle colonne.» Poi mi sono fatto coraggio e, lasciandoti sulla porta della stanza, mi sono diretto verso il tavolo centrale.

Laggiù, davanti a quell'immenso stemma della nostra città, mi sono girato e il miraggio di Angelika era lì, vestita come te, che mi guardava curiosa. Siete due gocce d'acqua. Ho preso fiato e gridato: «Vieni!». Ti sei mossa incerta. «Guarda che tua madre aveva un sorriso smagliante quel giorno!»

Ed è successo. Mi hai mostrato i tuoi denti, le labbra dischiuse, e ti sei messa a camminare verso di me.

«Non male! Anche se con i tacchi e sette strati di seta non credo saresti stata così leggiadra.»

E, con il cuore in gola, ti ho raccontato di cosa tua madre mi ha sussurrato quando il vicesindaco ci ha chiesto di fare le nostre promesse reciproche, di Andrea che faceva finta di non trovare gli anelli, del coro di esaltazione alle mie spalle quando lei ha detto sì e di tua nonna che piangeva come un vitello.

Poi ti ho presa ancora per mano e guardandoti dritta in faccia ho chiesto: «Sei pronta?».

«Sì!» hai risposto.

E l'abbiamo fatto. Siamo corsi fuori dalla stanza, poi giù dalla scala e contro il muro di sole mentre le lacrime mi attraversavano il viso. Ti tiravo dietro di me perché tu non le vedessi.

Ci siamo seduti sulla scalinata e tu mi hai chiesto: «Amavi la mamma quando l'hai sposata?».

«L'ho amata per molto tempo tua madre, Marghe. Quando l'ho sposata nemmeno mi rendevo conto di quanto fossi pazzo di lei, sai?»

Ho trovato la forza di guardarti negli occhi. Erano lucidi e anche se quello era solo un piccolo passo sapevo che era il primo nella direzione giusta.

È difficile comprendere come le cose abbiano potuto trasformarsi in quella guerra che hai conosciuto anche tu. Lo so che sembra che sia tutto una grossa bugia. Ho amato tua madre, ma ho finito con l'odiarla talmente tanto da non provare più nulla per lei. Poi è arrivata la repulsione, anche fisica. Le poche volte che ci siamo incrociati, nei tribunali, ci siamo anche guardati a lungo. Qualche volta avevo cercato di capire che cosa volesse dire con quegli sguardi. Non c'era niente nei suoi occhi: non c'era disprezzo, o paura, tanto meno rimorso, senso di colpa. Niente. O forse ero io che non riuscivo a leggerle dentro.

Ricordo bene la sensazione orribile di non provare nulla: alla fine nemmeno l'odio ha avuto la forza di restare con me.

Ma ora tu sei qui e quello che io voglio è che tu capisca il bene, il nostro, perché quelle che ti sto presentando sono due persone che tu non conosci ancora: i tuoi genitori.

Più tardi ci siamo messi in auto per raggiungere lo stesso ristorante del pranzo di nozze e per la prima volta, da quando eri arrivata in Italia, non ti sei infilata le cuffiette nelle orecchie e non ti sei messa a giocare con l'autoradio. Ti raccontavo dei paesini che attraversavamo e ti ho descritto tutto il banchetto, torta compresa. Della giarrettiera blu che tua madre si è sfilata davanti agli invitati, facendo arrossire tua nonna, e del bouquet caduto tra le mani dell'unica che nessuno avrebbe mai sposato.

Ho parcheggiato davanti al ristorante.

«Vedi, in quella veranda hanno servito l'aperitivo, mentre tua madre e io ci facevamo immortalare dal fotografo.»

Mentre cercavo di mostrarti l'esatta posizione del nostro tavolo, tu hai aperto la portiera e sei saltata giù.

«Mi è venuta fame, papà. Magari le fanno ancora quelle trofie al pesto che vi avevano portato fino a qui!»

Papà? Mi hai chiamato papà? Sono sceso di corsa perché in quel momento quel ristorante te lo avrei comprato.

Di nuovo a casa, sembravamo diversi dalle due persone che erano uscite poche ore prima. Io ero felice come non ricordavo di essere stato negli ultimi dieci anni. Per ritrovare quella sensazione dovevo tornare a quando hai mosso i primi passi. Non avevi neanche un anno, ti vidi barcollare appoggiata al divano: ti girasti per muovere i tuoi piedini uno davanti all'altro verso di me, lasciandoti il sofà alle spalle.

Come allora, anche adesso avrei voluto avvolgerti tra le braccia per scoprire che quel muro di vetro magari si era dissolto, ma sapevo portare pazienza. Ancora.

«È stata una giornata fantastica. L'ho portata dove ho sposato Angelika e le ho raccontato la cerimonia, poi siamo corsi fuori come avevo fatto con lei e da lì siamo andati in campagna e indovina? Ha voluto mangiare le stesse cose del nostro banchetto. Non ha messo l'iPod nelle orecchie in auto e credo che si stia avvicinando a me. Ti rendi conto? È fantastico. Ho aspettato tanto il suo rientro e ora la sento così vicina!»

Enrica mi ascoltava in silenzio. Perché per salvare te dovevo per forza fare male a lei? È sempre tutto così crudele, Margherita. Mentre io ti raccontavo tutti i dettagli di quel passato così ingombrante, assurdo e irreale, la mia compagna dei momenti più difficili non veniva neanche presa in considerazione. Così ero destinato a commettere un altro errore, ma ero tanto felice per noi che non me ne rendevo conto.

«Indovina la cosa più bella? Mi ha chiamato papà! Non è fantastico?»

Ma Enrica si era già addormentata.

L'importanza delle persone l'apprezzi solo quando le hai perse.

Una parte della vita non è altro che la ricerca costante di creare un legame attraverso un bene più grande, un passato in comune, lo stesso dolore. L'altra parte della stessa vita viene spesso spesa nella costante ricerca di fuggire proprio da quel legame.

Durante l'intervallo delle undici, Mattia ha esclamato: «La prossima settimana non verrò a scuola!».

«Perché?» ho chiesto masticando un pezzo della sua focaccia.

«Sarò con i miei a Brescia. Papà deve andarci per lavoro e mamma vuole che io stia un po' con i nonni», mi ha detto.

«Mi mancherai!» Quelle due parole mi sono scivolate dalle labbra senza permesso. Ho portato la mano davanti alla bocca come se volessi afferrarne la coda e ricondurle dentro. Non potevo aver detto una cosa simile. Credo di essermi trasformata nella donna torcia mentre lui mi fissava compiaciuto. Poi, come se fossimo stati sdraiati su una spiaggia o abbandonati in un prato, mi ha preso la mano e mi ha tirata verso di sé. Così, piegata in avanti, mentre le mie ginocchia battevano contro le sue e mi chiedevo se le sentiva come accadeva a me, mi ha baciata. Una volta, poi ancora. Lì a scuola davanti a tutti, e non più nascosti dal sedile del pullman. Quel bacio adesso era qualcosa di reale.

Il suono della campanella e un vociare confuso ci hanno allontanati, mentre io speravo che coprissero il battito del mio cuore ancora per un po'. Ho passato le due ore successive a fissare l'angolo in basso a sinistra della lavagna come se fossi pietrificata e quando alla fine della mattina nessuno mi aveva chiamata, interrogata o toccata, ho alzato lo sguardo al cielo ringraziando.

Ho guardato Mattia mentre riordinava le sue cose nello zaino e pensai che alla fine era sempre la stessa storia e che non avevo proprio nessuno da ringraziare perché lui se ne sarebbe andato e io di lì a poco sarei rimasta sola. Come accadeva sempre quando volevo bene a qualcuno. Il forte desiderio di scappare in bagno. Ho resistito.

In macchina papà mi ha chiesto se mi andava di vedere dove lavorava mia madre, ma io gli ho risposto di portarmi a casa. La sua espressione è cambiata tornando quella di sempre, quella che mi spiava come se non mi capisse, come se fossi la solita estranea.

Mi è dispiaciuto perché quella specie di caccia al tesoro del loro vissuto era divertente. Conoscere tutte quelle cose che mamma non mi aveva mai raccontato mi incuriosiva, anche se ogni tanto mi assaliva il dubbio che mio padre stesse inventando tutto e parlasse di un'altra. Mamma non mi aveva mai voluto mostrare nemmeno una foto di loro insieme. In casa c'erano state immagini di lei e Giuseppe prima, poi di lei e Hans, mentre Friedrich non aveva fatto in tempo a farsi immortalare.

La verità è che avevo bisogno di andare in bagno e starci da sola, ma prima dovevo mangiare, altrimenti non mi sarei sentita sollevata.

Quando sono entrata in cucina, papà stava sfogliando un vecchio album di fotografie mentre Enrica aspettava che uscisse il caffè.

«Marghe!» ha esclamato mentre mi metteva sotto il naso delle immagini di mia madre sorridente abbracciata a lui. Enrica ci dava le spalle e ho avvertito che qualcosa non era al suo posto.

«Ho ricevuto un'offerta di lavoro. È un gruppo di ricerca internazionale!» ha detto senza voltarsi.

«Davvero? È fantastico, tesoro. Quando inizi?»

«Il mese prossimo.»

«Allora dobbiamo festeggiare, vero, Margherita?» ha detto papà con la voce volutamente alta.

«A Londra. Domani vado su a discutere il contratto e a cercarmi una casa.»

La mia testa ha rimbalzato da papà, con le foto della mamma tra le mani, a Enrica che parlava di andare in Inghilterra, per fermarsi al centro della cucina, dove un blocco di ghiaccio stava prendendo forma.

«Ci penso da molti giorni.»

Improvvisamente l'unica cosa concreta in cucina era il silenzio.

Poi papà ha emesso un grugnito e ha chiuso il volto di mamma tra le pagine dell'album.

Mentre loro continuavano a mescolare lo zucchero nelle tazzine, ho fatto finta di andare in camera mia, ma mi sono appostata in corridoio.

«Che cosa significa Londra?»

«È una proposta che non mi si ripresenterà mai più.»

«Ho chiesto: cosa significa?»

«Ci sto pensando.»

«Non è possibile. Il tuo posto è qui con me e Margherita.»

«E Angelika?»

«Chi?»

«Ho convissuto con la sua assenza quando era viva, e ora che è morta dovrei convivere con la sua presenza?»

Quelle parole mi hanno spalmata sul muro.

«Non è giusto. Cosa c'entra? Lo sto facendo per ritrovare mia figlia, per raccontarle la verità. Noi siamo una famiglia, Enrica.»

«Famiglia? Capisco che non sia facile per te. So quanto hai lottato per poterla riabbracciare, ma so anche quanto sia sta-

170

to complicato per me starti vicino, convivere con i tuoi vuoti affettivi e rinunciare ad avere un figlio mio.»

«Ci risiamo. Mi stai ricattando perché non ho voluto un altro figlio? Ma come avrei potuto? Come avrei fatto a scegliere un altro bambino al posto di mia figlia? L'avrei data vinta ai danesi.»

«E io? Ho rinunciato a un figlio per i danesi? Hai lottato per Margherita, non contro un intero paese. Ora hai vinto, Francesco, ora hai la possibilità di fare quello che hai sempre desiderato, il padre, e nessuno ti comprende meglio di me. È per questo che sto pensando di andarmene, perché ci sono cose che si possono rimandare, ma prima o poi tornano a chiederti di occuparti di loro. È successo a te. Ora credo sia il mio momento. La mia vita sta aspettando da qualche parte che io la vada a prendere. E mi occupi di lei. Come fai tu con Margherita.»

«Non puoi farmi questo!»

«Farti cosa?»

«Non puoi andartene! Te lo proibisco!»

«Non hai nemmeno preso in considerazione di venire con me! Sei così abituato a combattere che non consideri nessun'altra soluzione. Ma poi, come posso pretendere tanto? Non hai seguito loro, perché mai dovresti seguire me?»

L'amore, la più liberatoria delle trappole. L'amore, la più perfida delle soluzioni.

«È questo quello che pensi? Che non ho avuto abbastanza coraggio? Che non ho lottato abbastanza per mia figlia?»

«Lo sai che non è vero.»

«L'hai appena detto e forse questo mi basta per lasciarti andare. Non sei poi così diversa da tutti gli altri.»

«Non è così. Io ho dato l'anima per sostenerti.»

«Certo, e ora ti stai chiedendo se sarebbe stato meglio non avermi incontrato. Ora che la guerra è finita e le cose non sono come ti aspettavi, vero? Ma per me è diverso. Rimpiango tante cose della mia vita, ma non un solo giorno passato con te. Da quando ti conosco so cosa significa sentirsi felici di svegliarsi accanto a un'altra persona. Te. Ma ora devo restare e pensare a mia figlia.»

«È meglio che questa conversazione finisca qui!»

«Perché? Di cosa hai paura? Di dirmi tutto quello che pensi? Non credi che sarebbe ora?»

«Sai come la penso.»

«Ne ho già avuta una di donna che non diceva quello che aveva in testa.»

«Non mi paragonare ad Angelika!»

«Non dovrei? Te ne vuoi andare anche tu e se avessimo un figlio lo porteresti con te.»

«Questo è un colpo basso, non ti permetto di parlarmi così. Io non ti farei mai...»

«Cosa? Cosa non mi faresti? Del male? Non mi lasceresti mai solo? Non te ne andresti mai come ha fatto lei dall'altra parte del mondo da un giorno all'altro come se tutto quello che abbiamo vissuto non contasse nulla? Abbi il coraggio di dirlo, Enrica!»

«Hai ottenuto tua figlia solo perché Angelika è morta. In cosa devo sperare io per riavere te?»

«Hai ragione, è meglio che questa conversazione finisca qui!»

Un rumore mi ha scossa e sono corsa in camera mia. Ho chiuso piano la porta e mi sono buttata sotto le coperte.

Non è vero, Margherita. Non è vero, Margherita. Non se ne andrà anche lei. Non è vero, Margherita. Non accadrà anche questa volta.

Poco dopo ho sentito la porta di casa chiudersi e sono sbucata fuori. Ho aperto il mio zaino e ho buttato tutto per terra. Ho spostato il diario e i quaderni fino a quando non l'ho vista. Era lì ripiegata e avvizzita. Con un nodo che spingeva nella gola ho afferrato e ridotto in mille pezzi la tavola periodica di Enrica.

Mi sono trascinata in bagno. Ho sfilato i jeans e ho preso la lametta di papà. Ho guardato la riga scura che sapeva di passato e ne ho fatta un'altra lì vicino ed è arrivato il sollievo. Ho chiuso gli occhi e ho tirato un respiro profondo. Con un po' di carta ho asciugato il sangue che colava. Ho sciacquato tutto e ho riposto quello che avevo preso.

Ero rimasto lì in cucina. Continuavo a girare il cucchiaino nella tazza ascoltandone il rumore ritmico e ipnotico. In tutta la casa regnava uno strano silenzio mentre io cercavo di non perdere il controllo. Avrei voluto buttare tutto per terra, spaccare qualcosa, magari la tazza da cui Enrica aveva appena bevuto, che mi guardava rovesciata nel lavandino, ma non potevo perché c'eri anche tu, finalmente, a poca distanza. Stavo lì a pensare a quello che Enrica mi aveva detto. Enrica? Proprio lei? Il nostro non era stato un amore improvviso, erano passati mesi prima di lasciarla avvicinare e anni prima che mi fidassi di lei. Non era un segreto, io non ero un uomo come gli altri e ogni donna rappresentava un pericolo. Non ero violento, rispettavo i pagamenti degli alimenti, ero disposto a muovermi anche tutte le settimane, avevo una casa e avevo voglia di continuare a fare il mio dovere di padre, ma questo non era abbastanza.

Enrica era stata l'unica a capire la giusta distanza tra me e gli altri. Mi bastava allungare una mano per trovarla e una sera decisi che quella mano l'avrei stretta per avvicinarla a me. Così venne a vivere da me con la speranza che quello fosse un altro inizio, magari di buon auspicio per tutto il resto. Comprammo un po' di cose insieme perché quella casa sembrasse nuova e per iniziare la nostra nuova vita, mentre il mio sguardo era sempre puntato verso nord.

Aveva sopportato tutto, i miei silenzi, le lunghe giornate

174

spese lassù senza sapere quando avrei potuto vederti e la mia frustrazione quando tornavo, quasi sempre, senza esserci riuscito. Aveva fatto ricerche su Internet e mi aveva tradotto articoli e leggi, aveva contattato l'associazione di cui poi sono diventato membro e mi permetteva di andarci ogni volta che ne sentivo l'esigenza, perché le persone del gruppo avevano qualcosa che a lei mancava: il mio stesso dolore.

Una sera mi parlò di volere una famiglia, ma io mi irrigidii. Non potevo, Margherita, perché sarebbe stato come tradirti. Avere un altro figlio da un'altra donna... L'avrei data vinta ad Angelika, ai suoi avvocati e agli assistenti sociali.

Tu saresti cresciuta e avresti cercato le tue origini. Io dovevo solo lasciarti più tracce possibili. Ma c'era una cosa che mi faceva paura più di tutte le altre a cui pensavo tutte le sere appena mi sdraiavo. Che donna saresti diventata? Saresti stata capace di amare?

Sapevo che più il tempo passava, più aumentavano le possibilità che l'incubo si avverasse.

Enrica c'era. Quando la tua mancanza diventava insopportabile mi chiudevo in bagno e aprivo la doccia perché lei non mi sentisse piangere e non desiderasse entrare nel suono assordante che la tua assenza aveva lasciato dentro di me.

Pensavo alle domeniche che non passavamo insieme, ai compiti che non ti aiutavo a fare, alle favole che non ti leggevo e riuscire a trovare qualcosa con cui distrarmi in quei momenti era impossibile. Così rimanevo lì, immobile e freddo. Fuori e dentro. Ma Enrica non si allontanava mai. Vivace nel distrarmi e forte nel non lasciarmi andare.

«Un altro figlio?»

«Per me non sarebbe "un altro".»

«Non posso. Non è possibile.»

«Perché? Un giorno Margherita potrebbe avere bisogno di un fratello o una sorella.»

«Margherita non ha nemmeno un padre, e io non ho intenzione di sostituirla.»

Non ne parlammo più. Sapevo che avrei potuto perderla per questo motivo, che un giorno avrebbe incontrato un uomo libero e desideroso di darle tutto e quel pensiero mi faceva male, ma nulla sarebbe stato più forte della mia missione.

Quando un giorno le nostre strade si fossero divise, io avrei continuato da solo la mia verso di te, ma le sarei stato grato per tutto il bene che mi aveva dato.

Ma non ora, Enrica. Non adesso che Margherita è tornata e dobbiamo solo guardare avanti. Non ora che ho bisogno di te, della tua capacità di non perdere mai il controllo, di rendere facili le cose più inspiegabili, della tua femminilità che blandisce i miei modi ruvidi e della tua presenza silenziosa mentre studi o ragioni. Non ora, che l'attesa è finita e posso essere me stesso. Non ora.

Una mattina vidi Hans nudo. Era domenica e un rumore dalla stanza di mamma mi aveva svegliata. Ero rimasta immobile ad ascoltare. Il cinguettio degli uccellini e il rombo di qualche auto che passava mi infastidivano, così mi ero alzata e mi ero allungata nel corridoio pronta a scattare in bagno se si fosse presentata qualche situazione pericolosa. Sentivo la mamma ridere e sorrisi anch'io. La porta si aprì e lui era lì davanti a me. Io rossa come un pomodoro, lui con gli occhi fuori dalle orbite. Ci guardammo fissi e a entrambi venne l'idea di sparire in bagno.

L'imbarazzo ci faceva muovere a scatti, era una situazione da comiche, lui con le mani in mezzo alle gambe, nudo come un verme, camminava in punta di piedi. Gli allungai un asciugamano e, voltandomi dall'altra parte come avevo visto fare in qualche commedia alla televisione, aspettai che si fosse coperto. Poi ci augurammo il buongiorno e io scappai in camera mia, ridendo a crepapelle.

Dopo quell'incontro ravvicinato, la sua presenza mi metteva un po' a disagio e credo che lui se ne fosse accorto perché improvvisamente era diventato molto attento ai miei gusti e ai miei umori. Temeva che potessi dire qualcosa di sgradevole alla mamma.

Come se lei prendesse in considerazione la mia opinione.

Non potevo ancora sapere che pensare a Hans nudo mi sarebbe stato molto utile. Nei momenti tristi mi restituiva un sorriso, nei momenti malinconici mi distraeva, e quella mattina da sola nel banco, che senza Mattia sembrava ancora più grande, mentre pensavo alle parole che si erano detti Enrica e papà, Hans è comparso tutto nudo e imbarazzato, e arrivare all'una e mezzo è stato un po' più facile.

Quella sera Enrica e io eravamo a casa da sole perché papà era al lavoro. Aveva preparato la pizza e mentre cercavo di domare i fili della mozzarella mi ha detto: «Il gruppo di Londra che mi ha offerto un lavoro si occupa di studiare le cellule staminali. Sono il futuro».

«Ma cosa sono?»

«Sono cellule che non hanno ancora deciso cosa fare da grandi e se manipolate con cura possono diventare molto utili e fare cose straordinarie.»

«Davvero?»

«Sì, un giorno potranno curare numerose malattie per cui adesso non esistono terapie.»

«Avrebbero potuto salvare anche la mia nonna? Papà mi ha raccontato della sua malattia.» Ho chiesto senza sapere l'esatto perché di quella domanda. Non avevo molti ricordi di lei, ma aveva il mio stesso nome e avrei voluto conoscerla meglio.

Enrica mi ha sorriso e ha risposto: «Forse sì», come avrebbe fatto una mamma e non solo una donna di scienza.

Ho alzato lo sguardo su di lei con la sensazione che quella potesse essere la nostra ultima conversazione e mi sono venute le lacrime agli occhi.

Enrica ha sfiorato il mio braccio e prima che io dicessi qualcosa ha continuato con tono urgente: «Devi promettermi che verrai spesso a trovarmi e dovrai scrivermi anche tutti i giorni».

Era la prima volta che la vedevo in difficoltà e sul punto di scoppiare a piangere. Aveva la mia stessa espressione di quando mi chiudevo in bagno. Mi sono chiesta se anche lei avesse un segreto simile al mio e ho provato il desiderio di avvicinarmi. Mi sono seduta accanto a lei, nel posto di papà, e ho appoggiato le mie mani sulle sue. Quel contatto ha rotto l'argine e i suoi occhi hanno iniziato a lacrimare. Era come se capissi il perché, quel nodo che ti brucia in gola e che non riesci a spiegare a nessuno.

Portando una mano sulle mie ha mormorato: «Margherita, promettimi che avrai cura di tuo padre. Tu sei tutto quello che ha».

Quel nodo ha iniziato a pulsare anche nella mia gola e non ho potuto non chiedermi se queste cellule staminali un giorno avrebbero curato anche me.

Poco dopo mi sono resa conto che avrei voluto sentire la voce di Mattia. Una sua battuta mi avrebbe aiutato perché l'immagine ridicola di Hans stava perdendo la sua efficacia.

Ho afferrato il telefono e ho chiamato il suo numero. Era libero, ma a ogni squillo avvertivo la salivazione azzerarsi.

Se non risponde? Se sta guardando il mio nome lampeggiare e non ha voglia di parlarmi? Se in questo momento si trova in compagnia di Giulia?

«Ciao.»

«Come stai?»

«Stanco. Sono andato a giocare a pallacanestro con i miei vecchi compagni.»

Come mai non aveva la sua solita ironia? Dov'era finita la sua allegria?

«Mi dispiace.»

«Perché dovrebbe dispiacerti?»

«No... cioè... volevo dire che mi dispiace se sei stanco... Mi sei mancato a scuola.»

Perché tutta quella voglia di dirlo? Ma cosa mi stava succedendo?

«Margherita...» Marghe, di solito mi chiami Marghe e ha un tono più leggero. «Ti ringrazio tanto per la telefonata, ma oggi mio padre mi ha detto che si deve trasferire di nuovo qui. Hanno bisogno di lui e ho pensato un po' in questi giorni...»

Hai pensato? Ma tu sei un maschio, e mamma diceva sempre che fate tutto senza pensare.

Ho fissato un punto sperando che mi sorreggesse.

«Credo che tu debba trovarti un altro ragazzo.»

Come un'ascia che cade dal cielo.

Ragazzo? Altro? Perché? Ma a me non mi vuole nessuno! Nemmeno tu, lo vedi?

«No, io no...» ho balbettato.

«Tu sei bellissima e puoi uscire con chi vuoi... io non vorrei te lo giuro... ma la mia vita è questa...»

«Non dire altro!»

«Guarda che dispiace anche a me. Fa tanto male...»

E tu lo capisci che a me non fa male solo quando sono con te?

Mi sentivo come se mi avessero dato fuoco e ho interrotto la comunicazione prima di rispondere perché quel nodo si era gonfiato tanto da togliermi l'aria.

Sono passata davanti alla stanza di papà perché avrei voluto parlare con qualcuno, ma Enrica stava piegando i suoi vestiti dentro una valigia. Aveva preso la sua decisione.

Sono corsa in camera mia e, nascosta sotto le coperte, ho iniziato a piangere. Pensando a Mattia, ho mormorato: «Ti amo», sapendo che lui non lo avrebbe mai sentito.

Quando sono rientrato, Enrica aveva preparato i bagagli. Sarebbe volata in Inghilterra il giorno dopo per firmare il contratto e cercare una sistemazione provvisoria. Sarebbe rientrata solo per riprendere le sue cose.

«Ho parlato con Margherita. Le ho spiegato di Londra.»

«Grazie. Lo farò anch'io.»

Sono uscito dalla stanza, ma mi sono fermato come se qualcosa mi stesse trattenendo.

«Francesco, io vorrei spiegarti le mie ragioni.»

Lottavo da dieci anni con le parole e «ragione» era quella che mi metteva più a disagio.

«Tutti abbiamo le nostre ragioni, tu, io, persino Angelika deve avere avuto le sue, e per quanto siano incomprensibili, lontane o disprezzabili, resteranno sempre qualcosa che nessuno potrà portarci via. Così sarà per me, così sarà per te.»

«Sei ingiusto.»

«Non sono ingiusto. Sono un uomo migliore e lo devo anche a te. Questa è la mia ragione. Abbi cura di te.» E sono uscito prima di vederla piangere.

La cosa peggiore che può capitare dopo aver superato un ostacolo? Ricominciare tutto da capo.

Non mi sono offerto di accompagnarla all'aeroporto perché avrei solo allungato la mia agonia e ora, mentre lei chiudeva le valigie, ero in preda alla rabbia. Ho avuto paura di uscire dopo di lei perché temevo il momento in cui sarei rientrato.

Ho girato per casa senza meta. Ho compreso che presto avrei dovuto liberarmi di tutte le cose che avevamo scelto insieme e di quelle che aveva comprato di sua iniziativa e che erano finite per piacere anche a me.

Ho chiuso gli occhi sperando che la sua figura sparisse per non essere costretto a immaginarla mentre cucinava, stirava, si spogliava o cercava le chiavi della macchina. Mentre correva lontana da me, la sua immagine sembrava moltiplicarsi in ogni direzione come in un gioco di specchi. Mi sono seduto con la testa fra le mani e ho pensato a te, Margherita. Lo stavo facendo di nuovo? Stavo perdendo un'altra guerra solo perché non sapevo quali fossero le mie armi? Solo perché l'avversario era più forte?

Qualcosa di violento, come un colpo nello stomaco, mi ha fatto promettere che quella sarebbe stata l'ultima volta, che mai più mi sarei ritrovato con il cuore spezzato e che mai nessun'altra donna si sarebbe avvicinata a me, a te. A noi.

Ho guardato l'orologio. Erano quasi le dieci. Il suo aereo sarebbe decollato dopo un'ora e probabilmente in quel momento era già arrivata in aeroporto da un po'.

Ma non poteva finire tutto così.

Quando ami davvero qualcuno, sei in grado di scalare una montagna, superare un oceano, digiunare per giorni o gettarti nel fuoco, pur di averlo vicino.

Elio, italiano, non vede sua figlia dal 1998 nonostante sia l'u-
nico genitore affidatario della bambina, poiché alla madre è stata revocata la responsabilità genitoriale nel 1999.

La settimana era faticosa e sembrava non passare mai. Mattia aveva lasciato un vuoto grande come tutta l'aula, anzi tutta la scuola.

L'insegnante di tedesco mi aveva chiesto di portare in classe il violino per suonare un pezzo ai miei compagni, visto che stavamo studiando la vita di alcuni compositori. Io ero in banco da sola e quando la professoressa mi ha invitato a eseguire un pezzo mi sono alzata e mi sono avvicinata alla cattedra. Per cinque minuti si è sentita solo la mia musica. Io e Bach stavamo tenendo a bada un'intera classe. L'archetto accarezzava le corde mentre io dirigevo le mie dita sapendo esattamente come. Avrei voluto che lui fosse lì seduto a guardarmi. Poi un lungo applauso, le lodi infinite del professore e le mie guance che erano diventate bollenti.

Durante l'intervallo ero ancora agitata e mi mancava il sapore salato della merenda di Mattia. E mi mancava lui, da morire. Stavo guardando fuori pensando a lui, chiedendomi se l'avrei mai più rivisto e a come sarebbe stato bello se fosse stato qui proprio oggi, quando la voce di Irene ha attirato l'attenzione di tutta la classe. Aveva in mano qualcosa di familiare. Il mio diario. Ho guardato sul mio banco e, infatti, non c'era.

«Ragazzi, attenzione! Tra poco vi leggerò tutti i segreti della nostra bella Margherita.»

Mi si è gelato il sangue. Non c'era scritto nulla di compromitten-

184

te, lo usavo solo per annotare i compiti, ma il suo sguardo non prometteva nulla di buono.

«Dieci anni fa mia madre mi ha rapita...» Io non avevo mai scritto una cosa simile. Irene stava raccontando la mia storia come se la conoscesse meglio di me, come se qualcuno gliel'avesse raccontata.

Non potevo crederci.

«...perché mio padre era uno stronzo...»

La sensazione di precipitare nel vuoto.

«...ma ora mi hanno rispedita qui perché mia madre si è schiantata contro un muro e non sapevano a chi mollarmi...»

Mi mancava il respiro.

Mentre il mio diario volava in alto ho trovato la forza di alzarmi, di afferrare il mio violino e la mia umiliazione, e sono scappata in bagno sotto gli sguardi di tutta la classe.

«Sei famosa perché nessuno ti vuole!»

Circondata dalle piastrelle bianche e blu dei servizi, ripresi a respirare.

«...rapita... stronzo...»

Perché quelle parole avevano qualcosa di così familiare? La voce di Irene le ripeteva nella mia testa. Come faceva una sconosciuta a sapere tutto di me? Nel mio diario non avevo mai riportato nulla di così personale. La vergogna mi afferrò alla gola. Possibile che tutti conoscessero la mia storia? Che parlassero di me? Avevo bisogno di tornare a respirare a modo mio. Mi sono toccata le tasche in cerca della mia lametta ma un rumore alle spalle mi ha paralizzata.

«Cosa fai? Ti sei nascosta in bagno? Ti va di piagnucolare un po'? Cosa ti sei messa in testa? Vieni qui a strimpellare questo cazzo di violino e credi che tutti ti ammirino. Perché non te ne torni al tuo paese? Ops, dimenticavo tu non ce l'hai un paese!»

Irene si è avvicinata e con lei anche la paura. Mi ha strappato di mano lo strumento e lo ha alzato in aria.

«Non farlo, ti prego, lui è...»

«Questo non ti serve più!» E con odio lo ha spaccato contro lo spigolo del muro.

«...il mio migliore amico.» Ma Irene era già sparita e io sono caduta in ginocchio.

Siamo rimasti per terra, spezzati in due.

Ho cercato il telefono e il numero di papà, ma prima di avviare la chiamata l'ho rimesso in tasca. Mi sono asciugata il viso e ho avvolto il violino nel maglione. Ho annodato le maniche per aiutare le corde a tenerlo insieme.

Le parole di Irene mi rimbombavano nelle orecchie insieme a quelle di Mattia, come se loro due stessero facendo una conversazione lasciandomi fuori impotente a guardarli dietro un vetro. Perché doveva essere così difficile essere felice? Possibile che mamma avesse ragione tutte le volte che si disperava sul divano perché Giuseppe, Hans o Friedrich si erano allontanati più o meno definitivamente? Quando accadeva, mi mandava da Ingrid. Ho sempre creduto che lo facesse per evitarmi di assistere alla sua disperazione, ma forse voleva solo che io non diventassi come lei.

Mamma, i suoi fidanzati, papà, Enrica e Mattia. Cosa avevano in comune queste persone? Me.

Mi sono alzata e mi sono chiusa in bagno. Ho preso la lametta che avevo fasciato nella carta e ho affilato l'acciaio sulla mia pelle. Uno, due tagli e la testa ha iniziato a girarmi. Perché questa volta non arrivava il sollievo?

Tutti sbagliamo. In continuazione e spesso senza rendercene conto. Sbagliamo per distrazione, per inganno o per abitudine. A volte guardiamo in faccia gli errori della nostra vita per accorgerci che sembrano tutti uguali, altre inciampiamo nell'unico errore che non avremmo mai dovuto fare.

Se ami qualcuno non sei disposto a rassegnarti ad averlo perso.

Potevo riuscirci, questa volta potevo raggiungerla prima che salisse sull'aereo, come non ero riuscito a fare con te.

Mi sentivo uno stupido. Avrei dovuto lasciarle il tempo di sfogarsi e di spiegarmi cosa provava senza lasciare che Angelika fosse sempre l'unico termine di paragone.

Enrica non era Angelika e mai lo sarebbe stata, ma io lo avevo capito solo ora.

Enrica aveva permesso al tempo di passare senza lasciarmi troppi segni sulla pelle, mi aveva lasciato sbagliare per incoraggiarmi a riprovare, aveva lottato contro la mia paura di stare insieme e un giorno aveva iniziato a mancarmi come se non avessi altro al mondo. Dovevo riuscirci, dovevo fermarla.

Per tutti i giorni in cui aveva evitato che oltrepassassi il limite e per tutti quelli in cui mi sono sentito così fortunato da non riuscirlo a spiegare. Per le sue battute incomprensibili, le sue mani lisce e quella incredibile capacità di capire chi ha davanti senza dover aspettare che si presenti. Per la donna che amavo e per tutto quello che avevamo ancora da vivere insieme sono salito in macchina e ho infranto tutte le regole del codice della strada. Mentre guidavo non potevo fare a meno di pensare che la Groenlandia è l'isola più grande del mondo, la torre Eiffel è composta da diciottomilatrentotto pezzi e che di solito leggiamo alla velocità di quattro millimetri al secondo e che non avrei potuto vivere senza di lei.

Ho abbandonato l'auto sul marciapiede e ho attraversato le porte scorrevoli, sono corso verso il tabellone degli orari. Non era ancora partita e non poteva essere molto lontana. Forse stava bevendo un caffè o magari era andata in bagno, forse stava guardando delle vetrine o comprando la crema per le mani da spalmare durante il volo.

Ho girato la testa sperando di vedere la sua valigia, le sue scarpe, il suo sorriso o il suo corpo corrermi incontro per salvare il nostro amore.

Perdonami se l'ho compreso solo oggi, seduto sul divano pronto a disperarmi.

Il tempo era poco, dovevo fermarla. Mi sembrava di essere l'eroe protagonista di uno di quei film chiamato a trovare la bomba e disinnescarla in una manciata di secondi. Ed ero così concentrato che quando il telefono ha vibrato in tasca sono sobbalzato. Ho sperato che fosse Enrica che, protagonista di tutt'altro film, mi stava guardando da lontano e se la rideva della mia agitazione. Ma quello che lampeggiava sotto i miei occhi non era il suo nome, era quello della tua scuola.

«Stiamo portando Margherita in ospedale. Corra!» Il sangue mi si è gelato nelle vene.

La bomba era esplosa senza aspettare che il tempo scadesse.

«Cosa? Margherita? Ma come...»

Ho ripreso a correre. Sono tornato indietro come se riavvolgessi il nastro.

Ero abituato a sentire che ti dovevo lasciare stare, che do-

vevo rifarmi una vita, che eri felice con il tuo nuovo padre.
Avevo ascoltato le cose peggiori per tenerti lontana da me e
credevo di essere ormai pronto a tutto. Ma quando in ospedale mi hanno parlato di autolesionismo, ho sentito il terreno franarmi sotto i piedi.

*Non puoi essere pronto a tutto nemmeno se ti hanno addestrato a
sopravvivere nelle peggiori condizioni. Poco importa che tu sia un
uomo comune o il nuovo Rambo, ci sono cose davanti alle quali sarei sempre costretto a fermarti.*

Da quando sei nata ho avuto una sola domanda in testa.
Quanto si può amare qualcuno?
Margherita non era rientrata in classe.
È l'unica cosa che mi viene in mente mentre ti guardo
sdraiata in un letto. Hai le braccia fasciate.
Abbiamo sfondato la porta del bagno.
La tua insegnante non ha ancora smesso di piangere. Ti
ha trovata lei, avevi una lametta fra le dita mentre i tuoi sensi ti stavano lasciando, avvolta com'eri dal caldo del tuo sangue. Una lametta delle mie.
C'era sangue, tanto sangue.
Quando si hanno dei bambini piccoli per casa, le cose pe-
ricolose si mettono sempre in alto. Tu non sei stata piccola
per troppo tempo, non sotto i miei occhi, e ora che ti consi-
deravo grande ho cercato di risolvere i problemi più eviden-
ti, mentre tu avevi ancora bisogno di essere tenuta lontana
dai pericoli.
*Il tuo violino l'hanno trovato avvolto nel tuo maglione, spezzato
in due.*
Sembra che questa pena non debba finire mai. Quest'ansia che prende sempre la tua forma e mi si siede sul cuore.
Avevo imparato ad aspettarti, sapevo mantenere la calma

quando ti sentivo dire che non mi volevi bene e che non mi volevi vedere, ma non ero preparato a questo.

«Francesco, devo parlarti.» La voce di Lucrezia mi ha colpito di sorpresa. Era una delle donne che aveva popolato quello spaccato di spazio-tempo che era trascorso dalla sparizione di te e tua madre alla mia relazione con Enrica. Era il medico di turno, ma non ricordo di averla mai vista con il camice addosso. La sua presenza, il suo volto mi trascinavano in quel periodo oscuro quando cercarti sembrava vano, dove le parole non colmavano vuoti ma li creavano. Tu eri stata ricoverata e l'ultima cosa di cui avevo bisogno erano due chiacchiere più o meno acide con una donna di cui ricordavo a malapena il nome.

Ho esitato.

«Sono stata io a visitare Margherita. Ho capito subito chi era, sai le voci corrono...»

«Come sta?»

«Ora meglio, ma...»

«Ma cosa? Ti prego...»

«Ho notato che ha diverse cicatrici su gambe e braccia e le ho controllato la bocca. Ha lo smalto dei denti rovinato, credo che vomiti volontariamente.»

«Non è possibile, vuoi dire che si fa del male di proposito?»

Lucrezia ha annuito. «Qualcosa tipo bulimia, autolesionismo. Voglio consultare uno specialista. Io non ho competenze mediche in merito. La mia è solo esperienza personale e so che è meglio non sottovalutare il problema...»

Ti ho guardata mentre sonnecchiavi per i calmanti che ti avevano somministrato e sfiorando la pelle rimasta senza fasciatura ho detto: «Ti voglio bene Margherita. Più di ogni altra cosa al mondo e, anche se ti conosco appena, non me la so immaginare una vita senza di te».

Vorrei prenderti in braccio e portarti via da qui, da questo dolore che, ovunque ci si nasconda, sembra trovarci sempre, come farebbe l'eroe che esce dalle macerie dopo l'esplosione con la sua donna stretta fra le braccia. Ma sono solo tuo padre, un povero ragazzo di periferia che non ci ha ancora capito nulla, e che ora ha bisogno di te più che mai.

«Papà, sei qui?» Come se fosse importante.
«Marghe, sono quasi morto per lo spavento.»
«Mi dispiace.»

Servono tanti piccoli errori per distruggere qualcosa o qualcuno.

«Perché lo fai?»
«Per stare meglio.»
«Perché, Margherita? Dimmi perché.»
«Perché dopo sto bene.»
L'ho guardata negli occhi e mi sono avvicinato. La paura di toccarla tra ferite e fasciature è svanita e l'ho stretta a me così forte che avremmo potuto smettere di respirare nello stesso istante.
«Dillo, Margherita! Ti prego dimmi quello che stai pensando!» E ho sperato davvero di essere all'altezza della situazione.
«Enrica se n'è andata per colpa mia, vero? Ho rovinato tutto anche questa volta.»
«No! Margherita, ma cosa dici? Tu non hai nessuna colpa, non l'hai mai avuta.»
«Tu vuoi andare via con lei?»
«Non senza di te, tesoro. Ci ho messo così tanto per riaverti che non ti lascerei per nessun motivo», e ingoiando un bel po' di lacrime ho trovato la forza di aggiungere: «Non farò più un passo senza di te. Te lo giuro!».

E penso che tu mi abbia creduto perché finalmente l'hai detto: «Mamma diceva che tu non mi volevi...».

Eccola la frase più dolorosa, ma anche l'unica di cui avevo davvero bisogno. E mi serviva che fossi proprio tu a dirlo, perché io potessi difendermi raccontandoti la verità, l'unica che conoscevo, l'unica che ti hanno tenuta nascosta.

«Non so perché tua madre pensasse questo, ma si è sempre sbagliata. Io ho fatto di tutto per non perderti. Un giorno forse capiremo insieme il motivo di tutto quello che ci è successo. Quello di cui devi essere sicura è che sia io che tua madre ti abbiamo amata più di ogni altra cosa al mondo, e che spesso gli adulti fanno errori terribili senza comprendere le conseguenze delle loro azioni. Un errore lo si fa. Non lo si è.»

«Papà...»

«Dimmi...»

«Perché stai piangendo?»

«Perché ho passato tutti questi anni a cercare di curare il mio dolore senza mai pensare al tuo. Credevo che ti saresti abituata perché eri piccola e i bambini sono come le radici, trovano sempre una via d'uscita. Pensavo a me, capisci? A vederti perché tu non ti dimenticassi chi ero, perché solo così non sarei sparito nel nulla. Sono un patetico egoista, Margherita!»

«No, io non la penso così.»

Sorrisi.

«Sei il mio papà e sei qui ora!»

«Papà...»

«Dimmi...»

«Ho tanta paura.»

«Anch'io, Marghe. Ma ce la faremo.»

«Papà...»

«Dimmi...»

«Mi dispiace.»
«Non devi. Tutto si sistema.»

«Papà...»
«Dimmi...»
«Credo che dovremmo andare a riprendere Enrica.»
«Lo pensi davvero?»
«Certo. Ti lascerei andare da solo, ma l'ultima volta che hai provato a convincere qualcuno a tornare sui suoi passi non sei stato molto convincente. Avrai bisogno del mio aiuto. Poi lei fa delle lasagne buonissime!»

Se quello era il segnale, era arrivato forte e chiaro. Ho annuito perché non trovavo le parole per commentare, ma credo che il mio sorriso ti sia bastato.

Un rumore alle nostre spalle.

«Non riuscivi proprio a sopportare la mia assenza, eh?»

Il ragazzino biondo con cui ti vedevo spesso uscire da scuola, insomma quel Mattia, è comparso nella stanza.

Si è avvicinato a te e il tuo sorriso ha illuminato la stanza.

«Vado a prendermi un caffè. Vi lascio soli, ma...» Guardando gli occhi verdi di Mattia ho aggiunto: «Giù le mani o te la vedi con me!». E lì mi sono sentito davvero padre.

Pensi di essere pronto a tutto perché il cuore te lo hanno già spezzato, le cose più belle che hai te le hanno strappate via e di te resta così poco da pensare che nulla potrà farti ancora male.

Poi diventi padre.

194

Quando frequentavo le elementari un giorno arrivò Jacob, un ragazzino di colore adottato da una famiglia di Viborg. Su di lui aleggiavano le leggende più strane. Qualcuno diceva che venisse direttamente dall'Africa dove lo avevano salvato da un villaggio in fiamme, altri sostenevano che i suoi genitori lo avevano affidato alla sua nuova famiglia solo temporaneamente perché erano rifugiati politici, alcuni che fosse stato trovato per la strada e che lo avessero salvato dal freddo e da morte certa: avevano aspettato un po' per vedere se qualcuno sarebbe tornato a riprenderlo e lo avevano portato a casa. Jacob era il bambino più sveglio e intelligente che io avessi mai incontrato. Sapeva sempre rispondere alle domande delle insegnanti e durante la ricreazione si fermava in classe a leggere.

Un giorno gli chiesero perché lo facesse.

«Fare cosa?» aveva risposto.

«Studiare sempre. Stai sempre sui libri e non giochi mai.»

«Perché quando i miei veri genitori torneranno a prendermi non voglio che abbiano dubbi che io sia bravissimo!»

Nessuno aggiunse nulla.

Non so perché io mi sentivo metà Margherita e metà Jacob. Vivevo con mia madre, ma ogni tanto cambiavo padre. Ero mezza adottata. Da quel giorno decisi che avrei studiato di più, così, quando un giorno avessi smesso di girare tra un padre e l'altro, se fossi stata bravissima volermi bene non sarebbe stato difficile.

Invece iniziai a farmi male. La prima volta fu per caso. Un giorno a scuola mi ero tagliata involontariamente con la linguetta di metallo di una lattina. La tenni fra le mani, poi vicino alla pelle e il cuore iniziò ad accelerare, ero emozionata. Il sangue per un attimo mi portò via da lì, come una farfalla che sorvola un immenso campo di grano senza avere nessuna meta, trasportata solo dal vento. Infine la vergogna, la voglia di nascondermi e il rimpianto di quel momento leggero che non capivo da dove fosse arrivato, ma che avrei voluto rivivere.

Mattia sembrava non fare caso alle mie fasciature. Si è seduto sul letto proprio vicino a me e mi ha accarezzato un pezzetto di pelle scoperto. Giocava con un lembo di garza che sembrava non voler stare al suo posto.

«Scusami per l'altra sera, sono stato cattivo. Non volevo.»

«Tutti commettono degli errori, anche le persone che ci vogliono bene. Me lo ha insegnato Ingrid.»

«Tu sei davvero speciale e io sono stato molto fortunato ad averti incontrata.»

Poi si è girato e mi ha chiesto di aspettare un attimo. Pochi attimi dopo è rientrato nella stanza con in mano un oggetto dalla forma familiare. Un violino.

«L'ho comprato a Brescia con quella rompipalle di mia madre. È usato e anche scordato, ma tu puoi farlo tornare normale. Tu puoi!»

"È il regalo più bello della mia vita, dopo di te", avrei voluto dire, ma se avessi aperto bocca sarei scoppiata in lacrime. Così mi sono limitata ad appoggiarmi a lui perché ascoltasse il mio cuore battere all'impazzata.

Ho nascosto le braccia sotto le lenzuola.

«Non farlo, lasciale fuori. Guariscono prima, vedrai!» E le

sue dita sulla mia guancia sapevano di bello, di buono e di futuro.

Non esiste un luogo dove ricoverare i sentimenti smarriti come per gli oggetti persi sui treni o sugli aerei. Ma è il nostro costante desiderio di trovarli a tenerci vivi. Le cose più preziose, l'abbraccio di un padre, l'amore di una madre e la presenza di un amico, si possiedono senza bisogno di cercarle.

Ho guardato l'orologio. Avevo lasciato Margherita da sola con Mattia per quasi un'ora, ma desideravo tornare da lei, sedermi lì e guardarla chiacchierare con quel ragazzino che sapeva come strapparle un sorriso. L'avrei osservato e magari avrei imparato qualcosa anch'io. Ma quando ho visto Mattia davanti alla porta del bar con aria spaventata, il mio cuore è piombato nella pancia e mi sono messo a correre.

Avevo troppa esperienza e troppa paura per non capire subito che quelle due signore dall'espressione seria, in attesa nel corridoio, erano due assistenti sociali. Ho pensato alla scuola. L'incidente doveva aver avuto delle ripercussioni. Una ragazzina trovata svenuta nel bagno in un lago di sangue pochi mesi dopo la morte della madre e il suo ricongiungimento con un padre che non vedeva da dieci anni sarebbe diventato subito pane per i loro denti.

Ma quella ragazzina era Margherita, mia figlia, e io ero il cane chiuso nel sacco e pestato a sangue per anni, pronto solo a fare male.

Non ci rendiamo conto delle centinaia di cose che riusciamo a fare senza nessuna fatica. Respiriamo, ragioniamo e camminiamo. Ma se un giorno la cosa che hai desiderato di più al mondo ti viene tolta, anche respirare, ragionare e camminare da quel momento diventa improvvisamente impossibile.

«Cosa volete?»

«Buongiorno. Vogliamo solo parlare con Margherita. Ci è stata segnalata una situazione di disagio e dobbiamo intervenire.»

«Intervenire? Ora? Ma dove eravate quando avevo bisogno del vostro aiuto?»

«Signore, noi dobbiamo tutelare i diritti della minore.»

«Si dimentichi il verbo "dovere" quando parla di mia figlia.»

«Lei è molto agitato e questo non va a suo vantaggio, tanto meno fa bene a Margherita. Guardi com'è ridotta...»

Non so cosa mi abbia fermato, Marghe. Forse sei stata tu. Ho stretto i pugni e mi sono avvicinato al tuo letto. Non avrei permesso che ti toccassero.

«I medici hanno detto che Margherita può essere dimessa e venire via con noi. Le faremo un colloquio e le troveremo una sistemazione per stanotte.»

Ero di nuovo dentro al mio incubo peggiore e dalla mia bocca è uscito un debole suono che sapeva di no. Ho deglutito e con forza ho detto: «Voi non la porterete da nessuna parte!». Non volevo spaventarti, ma la paura di perderti un'altra volta era più forte di ogni singolo taglio sulla tua pelle.

«Il signore ha ragione.» La voce di Lucrezia è arrivata come un'ancora di salvezza. Tutti i pensieri si sono ammucchiati su di lei.

«Ma ha detto che potevamo portarla via...»

«Certo, ma solo dopo che l'avrò visitata. Prima che diventi un affare vostro, Margherita è una mia paziente, quindi ora uscite da qui e fatemi fare il mio lavoro!»

Poco dopo è tornata da noi e con'aria seria ha detto: «Non posso firmare la sua dimissione. È troppo agitata per andare a casa. Voglio tenerla in osservazione ancora una notte. Ne riparliamo domani. Adesso non c'è nulla che possiate fare». L'avrei abbracciata!

«Non posso fare di più», ha detto Lucrezia appena le due donne sconfitte si sono allontanate.

«Cosa?»

«Francesco, tu neanche ti ricordi di me, ma io il tuo dolore e tutto quello che hai fatto per tua figlia non l'ho dimenticato. Portala via, ti firmo la dimissione.» E stringendomi una mano come farebbe una vecchia amica si è allontanata.

Sono entrato nella tua stanza.

«Margherita.»

«Non voglio andare con loro. Me l'hai promesso! Scappiamo!» E subito ti ho vista tremare come una foglia.

«Tesoro, troveremo una soluzione. Tua madre è scappata e queste sono ancora le conseguenze. Io non ti voglio fare altro male. Dobbiamo lottare qui!»

«Ingrid diceva sempre che si può imparare anche dalle cose brutte. Io non voglio perderti...»

Eri lì, ferita e sporca di sangue che mi stavi implorando di non lasciarti. Ed era tutto vero.

No, Margherita, non permetterò che ti portino via.

«Stai qui buona. Vado a prendere la macchina e la porto davanti all'uscita secondaria.»

In ascensore ho chiamato l'unica persona a cui potevo rivolgermi, Andrea. Non ho avuto bisogno di dirgli molte parole e dopo neanche un minuto lui ha tagliato corto dicendomi: «Ci vediamo in aeroporto. Penso a tutto io!».

Sei salita in macchina di corsa insieme al tuo nuovo violino, senza chiedermi dove fossimo diretti. Ti fidavi di me ed era tutto quello di cui avevo bisogno.

Ero terrorizzato. Continuavo a guardare nello specchietto e stavo andando in aeroporto come se quella fosse l'unica via d'uscita per non perderti.

Perché quando lotti tutta la vita per la cosa a cui tieni di più, difficilmente hai avuto tempo di preparare un piano B.

Io no, ma Andrea sì.

Lui e Marta sono arrivati poco dopo di noi.

«Qui ci sono le vostre cose. Abbiamo frugato un po' nei vostri cassetti, ci perdonerete», mi ha detto allungandomi un paio di valigie che non avevo mai visto. «Il resto ve lo spediremo nei prossimi giorni. Qui ci sono i biglietti per Londra, i passaporti e un po' di soldi. Farò un bonifico sul tuo conto domani mattina.»

«Andrea, ma...»

«Ah, ufficialmente sei andato in Inghilterra per ampliare il nostro business e trovare un nuovo locale!»

«Non potrò mai ringraziarti per tutto questo.»

«So che tu l'avresti fatto per me, ne sono certo, e poi mi sono rotto di vederti così. Tua madre diceva sempre di essere pronti perché la vita non è mai come ci si aspetta. Tu sei stato il migliore di tutti noi, ma quello che ti ho visto sopportare sarebbe stato troppo per chiunque e, qualunque cosa la legge o gli assistenti sociali dicano, io conosco la storia e so che non te la sei meritata. Da qualche parte ci deve essere un posto dove tu possa fare quello per cui sei nato: il padre!»

Qualcosa mi si è gonfiato in gola impedendomi di rispondergli.

Andrea si è girato verso di te e ha detto: «Marghe, credo di essere stato il primo uomo, dopo tuo padre, ad averti presa in braccio. Sono stato io a farti giocare a carte e a insegnarti a soffiare nella cannuccia per fare le bolle. Non credevo che la lista si sarebbe fermata qui. Non sta a me giudicare quello che è successo, ma una cosa devi sapere: conosco tuo padre meglio di chiunque altro e se dovessi scegliere un amico, un socio o un papà, be', io sceglierei lui. Sei una ragazza fortunata, non dimenticarlo».

«Grazie», è stato tutto quello che ho potuto dire prima di scoppiare in lacrime.

Mentre ci dirigevamo verso le partenze con mia figlia vicina, per la prima volta ho pensato a quanto anch'io fossi fortunato.

Le cinture allacciate, le nuvole sotto i nostri piedi, e la testa di Margherita sulla mia spalla: sarei potuto rimanere lì sospeso tra un posto e l'altro, tra una vita e l'altra come facevo da più di dieci anni, ma senza la solita paura.

Come cambiano le cose, Margherita. È incredibile.

«Hanno trovato il tuo violino spaccato in due? Cos'è successo?»

«Io...»

«Una ragazzina ha raccontato alla tua insegnante quello che è successo in classe. Perché non mi hai telefonato?»

«Non lo so, papà, ma fa tutto parte dell'altra vita, insieme a quel violino. Ora ne ho uno nuovo. Quello ormai era troppo vecchio!» hai detto abbozzando un sorriso.

«Credi che Mattia verrà mai a trovarmi?»

Avrei voluto dirle di sì perché sapevo che le avrebbe fatto bene e questo mi sarebbe bastato, ma poi ho pensato a tutto quello che era successo e la mia risposta è scivolata liscia: «Perché no? Certi legami sfidano il tempo e le distanze».

Certi legami sono semplicemente destinati a esistere.

«Papà.»

«Dimmi.»

«Mi racconti ancora un po' di te e di mamma?»

Certo, tesoro mio.

Una fine non è mai semplice perché difficilmente assomiglierà alle tue aspettative. Ma se sei arrivato al punto di pensare che non ti importa nemmeno di sapere come andrà a finire, quando tutto quello in cui hai creduto è stato sgretolato ti resta una sola speranza: raccogliere i pezzi, pensare a tutte le persone che ti hanno aiutato, e andare avanti.

Avevo promesso che non l'avrei mai fatto, invece sono scappato anch'io. Come i vigliacchi che non sanno come affrontare i problemi, come i colpevoli che pensano che basti spostare l'attenzione perché tutto si sistemi o come fanno le persone che non riescono a farsi capire. Non l'ho fatto solo per la paura di perderti ma per tutto quello che averti persa un'altra volta avrebbe significato. Il nulla, Margherita. Io mi sarei trasformato in niente, ne sono certo. E ora non avevo altra scelta, come i vigliacchi, come i colpevoli, come gli incompresi.

In aereo, mentre dormivi appoggiata alla mia spalla, non ho potuto non chiedermi se anche Angelika lo avesse fatto per gli stessi motivi. Per paura di restare, per paura di lasciarti. È tutto così difficile da raccontare che non so nemmeno più da che parte mi trovo. Ho ragione? Ho torto? Sembra non essere importante ora. Tu sei qui e la paura è svanita perché so che non ti lascerò mai più a costo di essere arrestato o torturato, non mi importa, perché abbiamo il nostro futuro da vivere e ti prometto che farò il possibile perché ti piaccia.

Mi domando se riuscirò a guardarti senza pensare ai tagli

sulla tua pelle, se arriverà il giorno in cui mi occuperò solo dei tuoi occhi, e non tremerò più quando ti chiuderai in bagno e se un giorno riuscirai a raccontarmi quel buco nero che ti porti nel cuore e che si intravede appena nella tua espressione. Ma sei qui e mi sembra un sogno perché ci sono ancora mille cose che ti posso insegnare e altrettante che impareremo insieme perché la vita è fatta così, Margherita, è una lunga prova di pazienza che, se riesci a capire e superare, ti può regalare qualcosa di importante.

Avrei solo voluto che mia madre vedesse tutto questo, che sapesse che alla fine ce l'ho fatta, che in qualche modo ti ho presa e portata via da chi ci voleva separare. Se lo sarebbe meritato e ne avrebbe goduto, ma sono felice che ci sia ancora Enrica e che la vita me l'abbia fatta incontrare. Spero di riuscire a farmi perdonare per non aver capito quello che anche lei desiderava esattamente quanto me, nonostante l'avessi proprio sotto gli occhi: essere una famiglia.

Credo che avremo bisogno di tutto il tuo aiuto.

Vorremmo solo recitare la nostra parte, indossare gli abiti giusti e dire le battute che ci hanno affidato. Poi qualcosa dentro di noi decide di fare una follia e nonostante tutte le nostre certezze avremo sempre un solo dubbio: essere ciò che desideriamo sarà qualcosa di cui ci pentiremo per sempre, oppure di cui andremo dannatamente fieri?

All'aeroporto di Londra mi sono accorta che papà stava piangendo. Stringeva da una parte un carrello con le valigie e dall'altra la mia mano come se avesse paura di perdere entrambi.

Guardando il suo profilo ho visto una lacrima brillare come una perla. «Perché piangi?» ho chiesto fermandomi di colpo.

Lui si è voltato e mi ha guardata negli occhi.

«Una vita intera trascorsa tra le mura di casa non mi ha mai fatto sentire al sicuro come in questo aeroporto sconosciuto, lontano, dove parlano una lingua straniera e che, per quel che ne so, potrebbe non avere un'uscita. Ma va bene così, perché là non riuscivo nemmeno a parlarti e qui posso addirittura tenerti per mano. Qualcosa mi dice che ce la caveremo.» Si è asciugato il viso con le dita, mi ha sorriso e ha spinto il carrello senza mai lasciarmi. Mentre cercavo di seguire il suo passo, ho finalmente smesso di guardare quell'uomo che da bambina credevo che non mi volesse e ho sorriso a quella brava persona che era il mio papà.

«Ingrid aveva ragione.»

«Quando?»

«Quando sei venuto a prendermi a Viborg.»

«Cosa ti ha detto?»

«Che un giorno ti avrei capito. Avrei avuto le prove, aveva ragione.»

Le porte scorrevoli si sono spalancate, Enrica era lì: per quanto io e papà ne fossimo certi, vederla è stato come avvistare la terraferma dopo una lunga traversata.

Ho sfilato la mia mano da quella di papà e con fare autoritario gli ho ordinato di correre da lei, ma questa volta ha decisamente superato sé stesso e afferrando le mani di Enrica ha detto: «Io voglio occuparmi di te, e non sto scherzando».

Lei ha socchiuso le labbra come se le mancasse l'aria. «Francesco, ma...»

«Enrica, io non sono bravo con le parole, ma l'unica cosa di cui sono certo è che averti conosciuta mi ha salvato la vita e per questo sarei disposto a chiedertelo all'infinito: vuoi sposarmi?»

Lei ha esitato e per un attimo ho temuto che avesse cambiato idea finché non si è girata verso di me e mi ha chiesto: «E tu cosa ne pensi?».

Ho sorriso e ho ripensato alle sue parole.

«Buttatici dentro, ragazza!»

Così il più bello dei sorrisi si è disegnato sul suo volto.

Non esiste una verità assoluta, ma solo un unico momento, questo.

Ho aperto le valigie e ho iniziato a mettere a posto le nostre cose, prima le tue poi le mie. Pensavo a quale criterio Andrea avesse usato per sceglierle. L'istinto? La fretta? Oppure lui e Marta si erano chiesti cosa ci avrebbe fatto comodo e magari come fosse il tempo qui, in questo angolo di mondo dove dicono che piova sempre. Non si capiva, così mi sono limitato a metterle in ordine in quel pezzo di armadio che dovevamo dividerci almeno fino a quando non avremmo trovato un'altra sistemazione.

Tu sei comparsa all'improvviso.

«Pa', noi andiamo a fare la spesa», hai annunciato.

«Compriamo tutto il necessario per fare degli ottimi cheeseburger casalinghi», ha aggiunto Enrica che è sbucata dietro di te. Eravate davvero carine insieme. «Del resto vige il detto: paese che vai usanze che trovi, no?»

Ridacchiando, siete sparite.

Odiavo quella frase. Mi fischiavano le orecchie ogni volta che la sentivo pronunciare con quell'atteggiamento qualunquista contro cui lottavo da sempre. Ma voi l'avevate pronunciata così, senza pensarci, e questo doveva essere per forza un bene, no?

Ho tolto le ultime cose dalla mia valigia e l'ho vista lì. Una grossa busta bianca su cui Andrea aveva scritto: «Per non dimenticare». Sapevo cosa conteneva. Mi sono seduto sul letto e l'ho aperta. La sentenza del tribunale che ordinava il tuo rientro e che nessuno aveva mai messo in pratica, il mio permesso di farti visita regolarmente, anch'esso ignorato, i biglietti aerei che mi avevano portato vicino a te, ma mai con te. Le foto di quando eri piccola che avevo usato per raccontare la mia storia ai giornali, un mare di appunti e nomi scritti a mano per non dimenticare tutto quello che dovevo fare. E poi, come uno schiaffo al buio, le storie di tutti gli altri, altri padri o madri a metà, quelli come me. Volti che mi avevano aiutato a sentirmi meno solo. Centinaia di ritagli di giornali, trafiletti e annunci. Erano tutti ancora lì, anche se nell'ultimo anno avevo perso quasi ogni contatto perché ero troppo preso da te, da noi. Li ho messi in ordine sul letto come se li volessi salutare.

In fondo, una foto di Andrea con il pollice alzato e il suo solito sguardo da mascalzone. L'ho girata d'istinto e la sua inconfondibile grafia mi stava dicendo: «Alla fine avevo ragione io: amici per sempre!». Mi sono seduto per terra e la mente è tornata là dove non tornava quasi mai.

Era tutto pronto. Marta e Andrea erano appena tornati dalla Francia. Avevano affittato un'auto e Marta aveva firmato la pratica. Poi l'avevamo caricata per affrontare un viaggio lunghissimo. Acqua, cibo, coperte e tutto quello che poteva servire per sopravvivere. Non potevamo certo dormire in albergo. Non potevamo lasciare traccia. In Danimarca avremmo incontrato in un caffè Ingrid, che mi avrebbe concesso di passare un po' di tempo con mia figlia, ignara che il mio intento fosse quello di portarla oltre il confine, proprio come aveva fatto Angelika.

Eravamo partiti di mattina presto. Andrea al volante, io a fianco. Prendemmo l'autostrada e andammo verso nord. Avevamo documenti e soldi. Il confine italiano, poi quello austriaco e quello tedesco. Facemmo un paio di soste per andare in bagno e mangiare qualcosa, dopo aver consumato l'asfalto e visto il sole abbassarsi.

Ci eravamo fermati vicino a Hannover, dopo millecento chilometri, nel parcheggio di un'area di servizio, circondati da camion enormi. Andrea comprò due lattine di birra e finimmo la torta di verdure preparata da mia madre. Parlammo di quanto fosse brava ai fornelli, di quell'estate in giro per l'Europa con in tasca un biglietto del treno e in spalla lo zaino, di quella ragazza di cui ci eravamo innamorati contemporaneamente e che nessuno dei due si era portato a letto solo per non ferire l'altro. Di Marta, e quanto fosse proprio la donna giusta e della paura di pronunciare quella frase.

Guardavo il mio amico, lui così bello da poter fare l'attore, lì sdraiato accanto a me a dormire in una macchina senza potersi nemmeno lavare per portare a termine un piano che avrebbe potuto rovinarlo per sempre.

«Forse stiamo sbagliando. Sei ancora in tempo per tornare indietro. Non posso coinvolgerti. Domani devi prendere un treno e tornare in Italia.»

«Non dire stronzate! Io non ti lascio qui. Ci siamo quasi. Domani sera Margherita sarà finalmente con noi e nessuno la porterà più via. Non sei tu ad aver iniziato questa guerra.»

Con il pensiero di rivederti, mi assopii.

All'alba ripartimmo. Avevamo ancora seicento chilometri da fare. Dovevamo arrivare nel primo pomeriggio per avere ancora qualche ora prima che Angelika desse l'allarme. Il tempo necessario per superare il confine danese e rientrare attraverso la Germania in Italia. Avevamo un'auto straniera. Non ci avrebbero mai fermati.

Tutto sembrava filare liscio. Rispettavamo i limiti per non essere fermati o ripresi da qualche autovelox. Dovevamo fare attenzione. Dopo il confine danese, direzione Viborg. Mi stavo avvicinando a te, Margherita. Ma quel pensiero cadde in mille pezzi.

«Non posso farlo, Andrea!»

«Manca pochissimo. Puoi riprenderti tua figlia!»

«Non posso farlo così. Non posso farle questo, capisci?»

Eravamo quasi arrivati. L'insegna del Café Safran campeggiava davanti a noi. Andrea fermò l'auto.

«La tua ex moglie non si merita nessun trattamento di riguardo. Pensa a tutto quello che ti ha fatto.»

«Non parlo di Angelika. Non posso farlo a Margherita. Rispondo alla violenza con altra violenza? Siamo due adulti che stanno per rapire una bambina. È questo che resterà di noi. Come potrà comprendere una cosa del genere? Strapparla a sua madre in questo modo, come ha fatto lei, non è quello che voglio che pensi di me.»

«Sei sicuro? Lei è lì a pochi metri. Potresti non rivederla più.»

Le parole di Andrea erano così definitive e concrete che sembravano scolpite nel marmo.

Scesi dall'auto. Faceva freddo, ma non lo sentivo. Café Safran. Mi sono avvicinato al locale con il passo pesante come se avessi appena finito di correre. Ho appoggiato le mani alla finestra e ho guardato dentro. C'era una gran confusione e un sacco di cose colorate. Poi ti vidi. Eri lì, seduta davanti a una tazza fumante con lo sguardo fisso su Ingrid. Lei ti teneva la mano su un braccio e ti parlava guardandoti negli occhi come se ti volesse spiegare qualcosa. Tu annuivi ipnotizzata.

Presi il cellulare e scrissi: «Sono qui fuori, la prego, esca da sola».

Poco dopo Ingrid fu davanti a me.

«Mi dispiace. L'ho ingannata. Volevo portarla in Italia, ma non ci riesco. Non posso farlo. Non voglio che soffra ancora. Non così, non a causa mia. La prego, abbia cura di lei, se sarà necessario anche per sempre.»

Mi voltai verso di te e disegnai sul vetro che ci separava un cuore con il dito. Poi una M e una F e mi allontanai.

«Francesco?»

La voce di Ingrid mi raggiunse come una speranza. «Lei è una brava persona. Un giorno Margherita lo capirà!»

Fu lì, muovendomi sulle mie gambe stanche, che salvai il tuo inviolabile diritto ad avermi come padre.

Il tuo, non il mio.

Ci sono quelli che hanno sempre una buona ragione per agire, quelli che ti fanno del male anche da lontano, chi paga un prezzo che non si poteva prevedere e quelli che darebbero qualsiasi cosa per non essere lì. Poi ci siamo io e te, Francesco e Margherita.

Ma c'era ancora una cosa nella valigia, forse la più importante, e Andrea non l'aveva dimenticata. La Bibbia di mia madre.

Mi sono seduto per terra, l'ho aperta e l'ho trovata. La sua lettera, le sue ultime parole per me.

Ciao, tesoro,
è la tua ruvida mamma che ti scrive, quella che ti rincorreva quando disobbedivi, che ti diceva di studiare di più e di non fare il pazzo in auto. Quella che spiava il tuo diario di nascosto e che implorava tuo padre di essere più severo. Sono qui in questo letto perché i miei polmoni non ce la fanno quasi più, a chiedermi se tra tutte le cose su cui mi sono ostinata c'era anche quella più importante: amare la vita. Bella ipocrita, penserai di me. Ci penso solo adesso

che sono arrivata alla fine e, ironia del destino, per l'unico male che mai mi sarei immaginata, io che non ho mai nemmeno acceso una sigaretta. E proprio ora che il tempo mi sembra così prezioso mi rivolgo a te, amore mio, perché mi assomigli tanto, sai? Io e te, beffati da quel vigliacco del destino, a lottare contro qualcosa che non ci siamo meritati.

Mi sono messa a scrivere nei momenti di lucidità ormai sempre più rari perché non ce la faccio a parlarti. Quando entri nella mia stanza hai sempre un sorriso ostinato come se andasse tutto bene. Proprio me pensi di ingannare? Proprio la tua mamma?

Che strano, so cosa vuol dire avere un cancro, la pelle bucata dagli aghi, non sentire più il sapore del cibo, perdere i capelli e ringraziare quando riesco a non vomitare, ma tutto questo mi sembra nulla quando penso a quello che sopporti tu, ogni giorno. Vivere senza Margherita, non riuscire a spiegarti e soprattutto non poter capire il perché. Ho perso così tante energie a essere la madre di un maschio, a insegnarti a rispettare le donne, ad assumerti le tue responsabilità perché io un figlio stronzo non l'ho mai voluto, che mi sono dimenticata di spiegarti come difenderti. Quando ti hanno portato via Margherita, ho visto qualcosa morire dentro di te, qualcosa che io avevo coltivato con tanta cura; ma poi ho scoperto un lato di te che non conoscevo, perché io sono tua madre e l'idea che tu sia diventato grande, nonostante gli anni, il lavoro e le esperienze, mi imbarazza ancora, sai? Ma quella cosa, quell'energia, quella forza la vedevo ogni volta che ti ostinavi a telefonare sapendo che nessuno ti avrebbe risposto, a prendere un aereo per tornare senza nemmeno averla vista, o mentre le scrivevi lunghe lettere che lei mai avrebbe letto.

Quando io e tuo padre venivamo a prenderti all'aeroporto stavamo lì stringendoci le mani a fissare le porte scorrevoli sperando di vedervi comparire insieme. Poi tu arrivavi solo, con la testa bassa e il passo stanco. Io scoppiavo in lacrime e tuo padre ti correva incontro. Ti teneva fuori dall'auto perché mi potessi asciugare gli occhi e tu non fossi investito anche dalla mia pena.

Ho perso la mia battaglia con la vita, me ne vado prima del tempo, ma non voglio che tu perda la tua. Perché anche se non so come spiegartelo, e ora sento troppo freddo, so quanto vali e quanto sai lottare senza ferire gli altri, come fanno gli eroi, quelli più coraggiosi, quelli senza armi.

Fagli vedere chi sei, perché io da lassù ingaggerò i migliori a fare il tifo per te, e, quando sarà, abbraccia Margherita da parte mia. Dille che non c'è stato un solo giorno senza di lei in questa casa.

La tua ruvida mamma

Al nostro rientro, abbiamo trovato papà in cucina ai fornelli.

«Ho messo su la pasta. Ho trovato un pacco di spaghetti. Non mi convincerete mai a mangiare quella roba!» Siamo scoppiate a ridere e, mentre loro mettevano a posto la spesa, io mi sono rifugiata in camera per sistemare le mie cose.

Papà aveva appoggiato tutti i miei vestiti su una sedia. Mentre li spostavo, una busta mi è caduta tra i piedi. L'avevo messa io tra le mie maglie. Era piena di fotografie della mia vita in Danimarca. Le ho tirate fuori, mi sentivo abbastanza forte per poterle guardare.

Ho rivisto Ingrid seduta sul vecchio divano, il giorno del mio ottavo compleanno e la festa per la fine della scuola elementare. Poi è arrivata mamma sorridente. Ho accarezzato il suo volto con le dita e ho pensato che era bello ricordarla così. Ho guardato dentro la busta perché non era ancora vuota. C'era un'ultima foto e con mia grande sorpresa ho rivisto il Café Safran. Da quanto tempo che non ci mettevo più piede! E quella cioccolata calda era qualcosa di delizioso!

Io ero piccola. Seduta da sola al tavolo con una tazza fumante davanti. Poi il cuore sul vetro. L'ho avvicinata per vedere meglio. C'erano la M di Margherita e una F. Poco lontano un uomo che si stava allontanando da Ingrid.

O mio Dio!

La F di Francesco.

Sono corsa di là per dire a papà che avevo trovato la nostra prova, ma quando sono entrata in cucina, lui era intento a riempire i piatti e stava urlando il mio nome per avvertirmi che era pronto, così ho messo la foto in tasca e mi sono seduta accanto a lui, pensando che ormai non avevamo più bisogno di nessuna prova. Nessun'altra.

Com'è difficile raccontare una storia vera. Entrare nella vita degli altri con la paura di sbagliare. *Niente è come te* è proprio questo, il romanzo di Francesco e Margherita, una storia in cui le stelle hanno smesso di indicare la strada a un padre il cui unico desiderio è quello di guadagnarsi il suo ruolo senza sconti. Ma Francesco mi ha parlato di una manciata di ricordi e di un mare di incomprensioni, del tempo che passa troppo in fretta quando sei costretto a stare lontano da tua figlia e della paura di non riuscire nemmeno a farti riconoscere perché, si sa, i bambini hanno il magico dono di dimenticare cose che invece li accompagneranno tutta la vita. E in un giorno nitido di settembre il nastro sottile della voce di Margherita, la televisione accesa sui cartoni animati e i roller che stridono in terrazza hanno iniziato a far spazio al suono assordante della sua assenza, perché esistono domande alle quali si possono dare solo risposte sbagliate.

Il coraggio non si dimostra sempre con l'azione, spesso la pazienza si porta dietro un dolore che può solo renderti più forte.

Il mio intento di raccontare un caso di sottrazione internazionale di minore è nato dall'incontro con un padre che non vede le sue figlie, nate in Italia, da molti anni. Dal quel giorno questa storia ha messo le radici nella mia testa e mentre la osservavo crescere ho capito che tutto aveva uno scopo preciso. Doveva essere raccontata. È stato un viaggio difficile e istruttivo, doloroso ma ricco di speranza. Un lungo percorso pieno di domande alle quali spesso è difficile rispondere.

Negli ultimi anni il fenomeno della sottrazione internazionale di minori è in notevole aumento. Il progredire dell'Unione Europea ci consegna diversi vantaggi e ci permette di unirci con maggiore facilità a persone di nazionalità, cultura, religione diverse. Le unioni o i matrimoni binazionali stanno diventando una realtà sempre più diffusa ma, si sa, l'amore come le intenzioni può cambiare, e poco importa dove si è nati o in quale Dio si creda: se ci dobbiamo separare, l'allontanamento sarà inevitabile.

In molti casi di matrimoni «misti» questo allontanamento è decisamente concreto e spesso viene segnato da migliaia di chilometri, che si trasformano in un ostacolo insormontabile quando contribuiscono a tenere lontano un figlio dal padre o dalla madre.

Ho ascoltato e letto numerose storie e potrei elencarvi tutti i loro nomi, uno più bello e significativo dell'altro: nomi di bambini che hanno davanti un futuro difficile, ricco di grandi vuoti. Nomi diversi, ma storie molto simili tra loro. Storie in cui la figura coniugale domina quella genitoriale: l'odio e il rancore verso un ex coniuge sono così forti da arrivare a suggerire di sottrarre un figlio.

Ma non importa quanti siano i casi in Italia o in Europa e quanto siano destinati ad aumentare. Avrei scritto questa storia anche per un singolo caso, perché fin dall'inizio quel padre è riuscito a trasmettermi la cosa più importante: che per quanto la guerra sia tra due genitori, per quanto in tribunale questi cerchino di rivendicare il proprio diritto a fare il padre o la madre, quello che viene violato è soprattutto l'inalienabile diritto di essere un figlio.

Scrivere questo romanzo è stata un'avventura che mi ha arricchita e resa più adulta.

Ringrazio di cuore il padre che mi ha regalato la sua storia riponendo in me uno dei sentimenti più preziosi che esista, la fiducia, e dedico questa storia alle sue figlie perché un giorno la possano inserire tra le innumerevoli tracce che il loro papà ha lasciato lungo il cammino mentre le stava cercando.

Ringrazio di cuore per essermi stati sempre vicino i miei amici: Lucia, Stefania, Francesca, Michela, Mari, Lucia, Marina, Giuseppe, Mauro, Salvatore e Michele.

Ringrazio Paolo per l'inesauribile entusiasmo che esprime per quello che faccio, la mia agente Silvia per tutto il suo lavoro prezioso e quella sua fiducia cieca nelle mie parole, Elisabetta per avermi scelta un'altra volta e Chiara, Francesca, Franco, Giulia, Alba e Adriana per il loro fondamentale sostegno.

Un grazie enorme a Giovanni per la consulenza legale e la pazienza.

A tutta la mia famiglia, Camillo, Mariangela, Fabio, Svetlana, e ancora Paolo e Laura.

Ora lo posso dire. Non sarei mai arrivata fino a qui senza di voi, i miei lettori.

Sara Rattaro
NON VOLARE VIA

Matteo ama la pioggia, adora avvertire quel tocco
leggero sulla pelle. È l'unico momento in cui si sente
uguale a tutti gli altri. Perché Matteo è nato sordo.
Oggi è giorno di esercizi. La logopedista gli mostra un
disegno con tre uccellini. Uno vola via. Quanti ne
restano? La domanda è continua, insistita. Ma Matteo
non risponde, la voce non esce, nei suoi occhi profondi
c'è un mondo fatto soltanto di silenzio. All'improvviso
la voce, gutturale, dice: «Pecché vola via?».
Un uccellino è volato via e Matteo l'ha capito prima di
tutti. Prima della mamma, Sandra. Prima della sorella,
Alice. È il padre a essere volato via, per fuggire dalle sue
responsabilità. All'inizio non era stato facile crescere il
piccolo Matteo. Eppure tutti si erano fatti forza in nome
di un comandamento inespresso: restare uniti grazie
all'amore. Ma è stato proprio l'amore a travolgere
Alberto, un amore perduto e sempre rimpianto.
Uno di quei segreti del passato che ti sconvolgono la
vita quando meno te l'aspetti.
Questa è una storia che parla di tutti noi, che parla di
un amore grande e imperfetto. Questo è il romanzo di
un bambino coraggioso, di un padre spaventato e di
una ragazza con i piedi per terra. Ma anche di una
madre che non ha dimenticato di essere una donna.
Questo è il momento indecifrabile della vita in cui
amore, colpa e perdono si fondono in un unico istante.

Finito di stampare nel mese di settembre 2014
da ▨ Grafica Veneta s.p.a., Trebaseleghe (PD)